# Le monde des fleurs

Cecelia Heffernan
Photographies de T. K. Hill

*Traduit de l'anglais
par Philippe Bonduel*

minerva

# Sommaire

matériel

1. Les ciseaux de fleuriste servent à couper la plupart des tiges. Les lames doivent être minces et bien tranchantes, pour couper net. Évitez les ciseaux ordinaires : leurs lames épaisses écrasent partiellement la tige en la coupant et empêchent l'absorption de l'eau.

2. Les ciseaux à lames longues et fines permettent de nettoyer fleurs et tiges dans les bouquets, ou de cueillir les fleurs mal placées, au jardin. Eux aussi doivent être tranchants, pour couper net.

3. Les sécateurs fins servent pour les tiges épaisses, fibreuses ou ligneuses, telles celles des azalées et hydrangéas. Leurs lames, bien affûtées, doivent entrer dans le bois et bien couper.

4. Les sécateurs classiques tailleront les branches fortes.

5. Un marteau permet d'écraser les branches et tiges ligneuses.

6. Un ôte-épines servira à retirer feuilles, aiguilles et brindilles sur les tiges principales. Évitez de peler ou blesser celles-ci : l'eau polluée par les déchets raccourcirait la vie de la fleur.

7. Un grattoir ou un couteau permettent de nettoyer la tige de ses piquants, feuilles et brindilles. Le couteau sert aussi à couper les tiges en biseau.

8. Les fleurs demandent de l'eau pure. Celle du robinet, trop chargée en chlore ou fer, est parfois déconseillée. Un filtre posé à la source sera bienvenu.

9. Savon noir et eau de Javel nettoient bien les vases. Une goutte d'eau de Javel dans le savon supprime toute trace et tue les bactéries, ennemies des fleurs. Mélangez à l'avance eau, savon et eau de Javel dans un grand pulvérisateur, prêt à l'emploi.

10. Fils de fer et ficelles, dans les bruns et verts, ont divers usages. Voir soins et préparation, 17 et 29, et mise en vase, 17.

11. Un arrosoir à bec fin permet de maintenir les vases pleins, et des tiges baignant dans l'eau. On peut aussi le passer aisément dans les bouquets serrés.

12. Les gants protègent les mains des écorchures ou des sèves irritantes de certaines plantes. Les gants chirurgicaux sont bien adaptés : fins, ils ne gênent pas la manipulation des fleurs.

13. Un brumisateur rafraîchira temporairement les fleurs en attente.

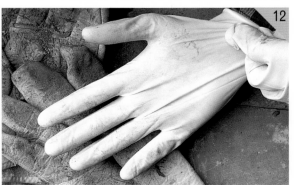

14. Les tiges de fer ont divers emplois ; réparer ou soutenir les fleurs, par exemple. Voir soins et préparation, 31, et mise en vase, 18 et 20.

15. Le floratap et le ruban adhésif classique sont précieux. Voir soins et préparation, 31, et mise en vase, 19.

16. Un choix de vases en plastique ou en verre de diverses tailles permettra de bien faire tremper les fleurs.

17. Des branches et des tuteurs rigides, en saule ou en bambou, servent à soutenir les fleurs pesantes, qui seront bien irriguées. Voir soins et préparation, 29, et mise en vase, 17.

18. Du papier d'emballage, des journaux sont employés pour renforcer certaines fleurs. Voir soins et préparation, 35.

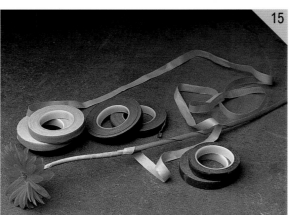

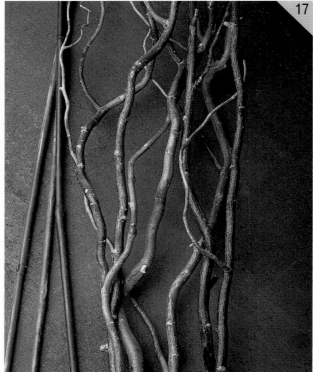

Page de droite : Tout contenant décoratif peut servir de vase, depuis une casserole ancienne jusqu'aux élégants vases en cristal. Le choix du vase influe sur l'aspect des fleurs.

1. Ne placez pas les fleurs directement dans les vases en métal, terre cuite ou pierre. Ces matériaux, poreux, peuvent contenir des éléments malsains. Mieux vaut les doubler de verre ou de plastique, qui restent les meilleurs pour les fleurs.

2. Les vases doivent être propres et stériles avant de recevoir eau et fleurs. La durée de ces dernières est liée à cette propreté.

3. Prenez des vases aussi profonds que possible, suivant la longueur des tiges. Les fleurs tiennent mieux en eau profonde.

le travail des fleurs

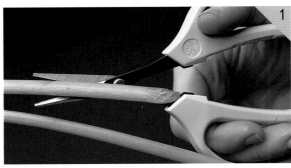

1. Coupez toujours les tiges en biseau. La surface d'absorption, plus importante, permet à l'eau de mieux monter dans la tige.

2. Les coupes en biseau ne collent pas au fond du vase et laissent toujours passer l'eau.

3. Sitôt après la coupe, plongez les tiges dans l'eau. Une minute suffit pour que la tige sèche et commence à se cicatriser.

4. Les tiges épaisses et les bois fins sont coupés en biseau, puis refendus au milieu. L'eau pénétrera mieux les tissus fibreux.

5. La base des bois épais est écrasée au marteau sur dix centimètres, et refendue. L'absorption de l'eau sera plus facile.

6. Retirez les esquilles d'écorce autour du bois écrasé : elles pollueraient l'eau. Les fleurs dureront plus longtemps.

7. Enlevez toute feuille ou épine qui pourrait tremper dans l'eau du vase. Si on laisse ces matériaux, ils se décomposent et les bactéries nocives abrègent la vie des fleurs.

8. Nettoyez la tige de tout débris ou excroissance – aiguillons, ramilles, etc. – à la serpette affûtée. Elle doit être bien propre avant d'aller dans l'eau.

9. Les tiges propres doivent plonger le plus possible dans l'eau, pour prolonger la durée des fleurs. L'épiderme boit autant que la coupe basale. Une écorchure ou une fente, hors de l'eau, peuvent créer une poche d'air qui arrêtera la sève. Plus l'eau est profonde, moins le risque est élevé.

10. Employez une eau raisonnablement tiède. Trempez-y la main pour la tester. Trop froide, elle n'est pas absorbée ; trop chaude, elle est absorbée, mais perturbe les fleurs.

11. Une fois dans l'eau, les fleurs commencent à se décomposer, en émettant gaz et bactéries. Des tiges bien propres, une eau sans déchets retardent cette décomposition et les fleurs durent plus longtemps.

12. Les mélanges de fleurs durent moins longtemps que les bouquets uniformes. Certaines fleurs ont des métabolismes et modes de décomposition différents. Ces réactions, mélangées, peuvent abréger la vie de tout le bouquet. Une botte d'une seule espèce durera plus longtemps et une fleur, seule en vase, encore plus.

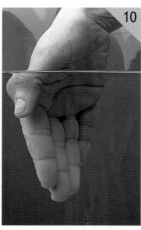

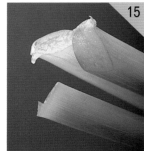

13. Une eau trouble est l'indice d'une décomposition par les bactéries. Videz le vase tous les deux jours et apportez de l'eau propre et tiède qui ouvrira les tiges et sera bien absorbée.

14. L'eau pure est idéale. Les conservateurs du commerce, à condition de bien les doser, prolongent la vie des fleurs, mais leur excès est dangereux. Quant aux succédanés « maison », telle la limonade, ils sont déconseillés, le sucre favorisant les bactéries.

15. Dans l'eau, les tiges se décolorent et se couvrent d'un mucus, qui gêne la circulation de l'eau. Recoupez les fleurs à chaque changement d'eau pour que les tiges puissent l'absorber.

16. Les bouquets composés sont parfois difficiles à sortir, pour changer l'eau et recouper les tiges. Rajouter de l'eau dans le vase est un moyen terme. Employez le brise-jet de votre évier, en ouvrant le robinet à fond durant quelques instants pour remplir le vase d'eau tiède.

17a, b, c. Liez le col de votre bouquet à la ficelle. Une fois l'ensemble attaché, retirez-le du vase. Nettoyez celui-ci et changez l'eau. Tenez le bouquet, tête en bas, et recoupez les tiges en biseau. Remettez-le en vase et retirez la ficelle pour qu'il reprenne sa place.

# soins et préparation

18a

18b

19

20

21

22

18a, b. De nombreuses fleurs s'épanouissent à la lumière. Elles n'en sont pas moins fraîches. C'est leur nature, qui veut qu'elles se ferment dans le noir. La température a les mêmes effets : la chaleur les fait s'ouvrir et le froid se refermer.

19. Les fleurs tiennent aux environs de 15 °C. Un bassinage à l'eau froide plusieurs fois par jour les rafraîchira pour un moment. Par ailleurs, leurs pétales absorberont cette eau.

20. Éloignez les fleurs de la lumière directe ; elles durent plus longtemps en éclairage faible, ou indirect. La lumière produit de la chaleur et accélère le cycle vital des fleurs. Cependant, des fleurs très jeunes, ombrées de vert, ou des boutons serrés d'arbustes en demandent beaucoup plus pour bien se développer. Une fois bien colorés, placez-les plus à l'ombre, pour qu'ils durent.

21. La plupart des fleurs viennent de l'extérieur ; une bonne aération influe donc sur leur durée. Placez-les en lieu aéré ; la fumée ne leur vaut rien.

22. On croit parfois que placer les fleurs au réfrigérateur pour la nuit prolonge leur vie. Certains aliments, cependant, ont une action néfaste par les gaz qu'ils dégagent en se décomposant. Mieux vaut installer vos fleurs près d'une fenêtre ou dans une pièce fraîche.

23. Les fleurs achetées sont généralement enveloppées de Cellophane ou de papier protecteur. Avant de les préparer et de les assembler, il est utile de les laisser tremper, emballées, dans beaucoup d'eau, durant une heure. Ainsi, elles resteront droites.

24. La suppression des fleurs fanées facilite l'épanouissement et la durée des autres. Les fleurs fanées consomment une partie de l'énergie disponible. Celle-ci se concentrera, après leur suppression, sur les parties saines.

25. Certaines fleurs, tels les œillets et dahlias, sont dotées de nœuds sur leurs tiges, qui sont plus épaisses et fibreuses à ce niveau. Coupez entre les nœuds pour que l'eau pénètre bien.

26. Les fleurs ramifiées ou en bouquets durent plus longtemps si on les divise. Chaque fleuron sera ainsi mieux abreuvé.

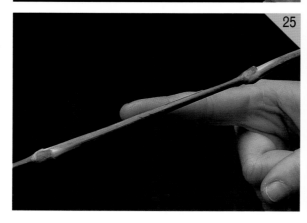

27a, b. Certaines plantes, coupées, exsudent sève ou latex. La cautérisation les fera rester dans la tige. On conseille parfois d'ébouillanter la base. C'est efficace, mais la vapeur ne vaut rien aux fleurs elles-mêmes ; le mieux est de brûler la coupe. Employez le gaz, les braises ou une bougie à forte mèche. Brûlez un à deux centimètres de la base.

28. Mieux vaut isoler les fleurs toxiques. Elles sécrètent sève ou latex toxiques pour les autres. Avant de les y associer, plongez-les pendant 24 heures dans l'eau additionnée d'une goutte d'eau de Javel.

29. Les fleurs hautes ou lourdes, tels les lis et delphiniums, peuvent plier ou casser avant d'être bien hydratées. Liez lâchement le haut et le milieu de la tige à un tuteur pour la laisser boire correctement.

30a. Les fleurs à tiges creuses, tels les hippeastrums, sont organisées pour boire avec les canaux du pourtour. On croit parfois que si on remplit la tige d'eau, elle durera plus longtemps. C'est sans danger, mais inutile.

30b. Les tiges creuses cassent aisément. Renforcez-les en insérant doucement un tuteur dans la base. Un bambou, une branche propre conviennent. Entourez le tuteur d'un matériau doux, hydrophile, qui protégera l'intérieur de la tige et apportera de l'humidité.

31a

31b

31c

31d

31a. Les tiges fendues, ou pliées sous le poids des fleurs peuvent être secourues par le fil de fer de fleuriste. Piquez-en la partie saine, au-dessus de la pliure, ou sous la tête florale. Voir aussi mise en vase, 18.

31b. Appliquez le fil de fer sur la tige maintenue droite.

31c. Entourez la tige de spirales lâches.

31d. Garnissez pli ou fente de floratap pour empêcher l'air de nuire à l'irrigation.

32. Si les fleurs fanent ou mollissent prématurément, raccourcissez les tiges et placez-les dans une eau un peu plus chaude pour les raviver. La coupe et la température de l'eau aideront les fleurs à boire plus vite.

33. Certaines fleurs plient sous le poids de têtes trop lourdes. Gorgée d'eau, la tige n'alimente plus la tête florale. Un coup d'épingle juste sous celle-ci la décongestionnera et rétablira la circulation.

34. Les fleurs fatiguées peuvent être ranimées par un bain complet dans l'eau froide, dont vous emplirez un seau ou une cuvette. Couchez-y les fleurs de tout leur long et lestez-les d'un poids quelconque, tel qu'une brique. Laissez-les tremper quelques heures.

35a. La lumière, les variations de tempéra-ture, ou la nature même des fleurs peuvent parfois courber les tiges.

35b. Pour les ragaillardir, placez-les une par une dans un papier mouillé, en les espaçant régulièrement.

35c. Roulez le tout délicatement en formant un cornet.

35d. Fixez l'ensemble à la ficelle ou à l'agrafeuse pour que le papier enserre les fleurs.

35e (page de droite). Bassinez papier et fleurs pour les garder humides. Laissez tremper votre cornet durant quelques heures.

35f. Déroulez le tout. Vos fleurs seront de nouveau droites.

1 (page de droite). Les plus beaux bouquets exaltent les qualités naturelles des fleurs. Si elles sont élevées, ouvertes, penchées, mettez ces caractéristiques en relief. Même si vous arrangez un peu la nature, conservez toujours ces traits détermi-nants. Laissez les lianes draper les bou-quets, donnez aux fleurs assez de place pour s'ouvrir à l'aise, etc.

2. Le secret d'un bon bouquet est d'abord dans sa base. Certains ne jurent que par des accessoires tels que mousse florale, pique-fleurs, grillage, etc. Ils sont utiles, mais peuvent rendre le bouquet peu naturel et raccourcir sa durée.

3. La mousse, qui maintient chaque fleur, est très utile. Toutefois, les tiges qu'on y pique sont noyées et obturées. Les fleurs dureront moins longtemps qu'en eau libre.

4. Les pique-fleurs ont un effet compa-rable. La base des tiges est partiellement bouchée par les piquants qui s'y fichent et qui barrent la route à l'eau.

5a. Le grillage à poulailler tassé dans le vase apporte du métal, qui réagit au contact de l'eau. Il peut aussi blesser les tiges et favoriser l'infection.

5b. Un chapeau de grillage au sommet du vase est plus sûr.

6. Une base de feuillage dense sera plus naturelle. Elle stabilisera les fleurs au cours du montage. Prenez un feuillage assorti au style des fleurs retenues.

7. Au cours de l'établissement de la base, de feuilles ou de fleurs, tournez fréquemment le vase pour obtenir un entrelacs de tiges. Celui-ci maintiendra le reste de la composition.

8. Si vous raccourcissez les fleurs pour en faire des bouquets, la meilleure « verdure » sera fournie par leur propre feuillage. Recueillez donc les chutes pour les placer parmi les fleurs.

9. Pour garnir un vase, trop grand pour le nombre de fleurs employées, placez-y une branche retaillée. Elle servira de point d'ancrage aux fleurs, qui resteront en place au cours du montage et vous pourrez en employer moins.

10. Les grandes feuilles courbes, telles celles des tulipes, sont utiles en bouquets, où elles maintiennent leurs propres fleurs et permettent d'en caler plusieurs autres.

11. Les aiguillons, conservés, donnent un autre type de base pour bouquets. Ils accrochent entre elles les tiges, qui maintiennent les fleurs ajoutées.

12. Des fleurs telles que les mufliers ou œillets, bottelées à la ficelle, peuvent fournir une belle base de bouquets. Vous pouvez étendre cette technique à d'autres fleurs, plus élevées. C'est plus facile que de les stabiliser une par une.

13. Les hautes tiges peuvent être raccourcies, et les courtes, rallongées, pour s'harmoniser avec le bouquet. Voir mise en vase, 20.

14. Les grosses têtes florales des hortensias ou hippeastrums, raccourcies, peuvent former une base. Elles combleront le col du vase et caleront les autres fleurs.

15. La pointe des hautes fleurs en épis échelonnés, tels les glaïeuls et mufliers, peut être pincée pour assurer l'éclosion des boutons restants. Leur aspect naturel en est modifié, mais l'épanouissement est supérieur.

16. Pour leur relief et leur aspect naturel, ajoutez des boutons très fermés aux bouquets. Parsemez-en les fleurs bien écloses.

17. Certaines fleurs poursuivent leur crois-sance en vase. Elles sont parfois difficiles à installer en bouquets, où elles changent tous les jours. Attachez-les à un rameau ou à une sœur plus robuste pour qu'elles restent nettes, bien à leur place.

18a. Le fil de fer permet de rempoter les tiges ou de les courber de façon plus harmonieuse dans les bouquets. Piquez-le à la base de la fleur en l'enfonçant d'un ou deux millimètres.

18b. Rabaissez la tige ou courbez-la dans la position souhaitée.

18c. Serrez le fil de fer autour de la tige, vers le bas. La tige, robuste, devient manipulable.

19. Cachez le fil de fer avec un ruban de la couleur de la tige ; il limitera les entrées d'air. Voir soins et préparation, 31.

20a. Le fil de fer allonge les tiges trop courtes, par nature ou par un défaut à la cueillette. Piquez-le dans la base de la tige et coupez-le à la longueur désirée.

20b. La base du fil reposera sur le fond du vase, comme l'aurait fait la tige.

21 (page de droite). Une règle veut qu'un bouquet soit une fois et demie plus haut que son vase. Elle n'est pas toujours applicable. Des fleurs disposées dans un vase dont elles festonnent juste le col peuvent faire autant d'effet qu'un bouquet proportionné.

22. Le choix du vase transforme le bouquet le plus sophistiqué comme la simple botte de fleurs. Prenez-en un qui s'accorde aux fleurs. Celui-ci, bleu vif, les met mieux en valeur que du verre blanc.

1. Pour planter, faites un bon mélange. Il doit être léger, poreux et riche. Si la terre est lourde, glaiseuse, elle restera gorgée d'eau ou étouffera les plantes. C'est toujours vrai, en pots comme au jardin, y compris pour forcer les bulbes.

2. Les plantes à fleurs ne poussent bien que correctement arrosées, en général. L'excès comme le manque d'eau leur sont néfastes. Des feuilles décolorées signalent le problème. Si une motte de terre, pressée, rend de l'eau, c'est l'excès. Arrosez vos plantes en douceur, laissez-les boire lentement, sans les noyer d'un coup, ce qui les perturbe.

3. Quelques plantes et bulbes préfèrent être arrosés à la base, pour absorber l'eau à leur guise, suivant leurs besoins.

4. Ne laissez pas les pots tremper dans l'eau en excédent. Celle-ci noierait les plantes. Quelques cailloux ou graviers dans la soucoupe les draineront.

5. La plupart des plantes à fleurs apprécient un bassinage à l'eau froide, qui rafraîchit la plante et facilite l'absorption de l'eau.

6. Arrosez les plantes, au jardin, quand le soleil est bas, le matin ou le soir. Mouillées en pleine chaleur, les fleurs et feuilles peuvent brûler.

7. De bons engrais sont utiles. Ils sont nécessaires à la vie des plantes, mais n'en abusez pas : le mieux est ennemi du bien. Lisez le mode d'emploi et suivez-le. L'excès d'engrais abîme les plantes qui s'arrêtent au lieu de pousser.

8. Cueillez le matin ou le soir. Les fleurs cueillies à midi ne tiennent pas.

9. Le jardin est la meilleure source de bouquets. S'il est un peu pauvre, achetez des plantes dans les pépinières, les serres et chez les fleuristes. Elles continuent à fleurir et seront gardées jusqu'à la fanaison. Coupez ce dont vous avez besoin et laissez la plante remonter.

10a. Plantez les bulbes à forcer, pour l'hiver, à touche-touche en laissant dépasser la moitié ou le tiers supérieurs, pour éviter la pourriture. Planter serré et à mi-hauteur limite les excès d'eau et augmente l'effet des fleurs.

10b. Grattez doucement les racines sèches du bulbe. Il poussera plus vite sans pourrir.

11a. Pour drainer le fond du pot, garnissez-la de cailloux et de tessons, avant la plantation.

11b. Un apport de charbon de bois ou de sable dans le substrat maintient le sol frais mais aéré.

12. Au jardin, les bulbes sont enterrés à deux fois et demie leur hauteur, en général. Trop ou trop peu enfouis, ils poussent mal. (La mesure indiquée sur l'image est exprimée en *inches* : 1 *inch* = 2,54 cm.)

13. Veillez à ne pas serrer bulbes et plantes. Leurs racines ont besoin de place si l'on veut des plantes luxuriantes.

14. Pour rabattre une plante défleurie, ou la faire remonter, suivez une règle : ne coupez que ce qui est sec ou décoloré. Tout ce qui est vert est actif et une taille trop hâtive peut ralentir la pousse future.

15. Supprimez les fleurs fanées sur les plantes à floraison échelonnée pour favoriser la remontance.

16. On peut pousser certaines plantes, comme les delphiniums, à refleurir. Une fois fanées, rabattez-les au sol en laissant quelques feuilles. Elles se force-ront seules, pour produire une deuxième floraison peut-être plus réduite, mais encore très belle.

17. On peut faire s'étoffer certaines plantes. Pincez au ras des feuilles les premières tiges à fleurs. La plante produira des tiges multiples et donc plus de fleurs.

18. Pour avoir un seul gros fleuron sur une plante d'ordinaire multiflore, conservez un seul bouton, qui recevra toute la sève, et éliminez les autres. C'est ce qu'on appelle l'éboutonnage.

19. Il faut diviser les plantes, toutes les quelques années. Rajeunies, elles fleuriront mieux. Avant de divisez, lavez les racines et leur terre, pour mieux voir où couper ou séparer. Laissez une bonne motte de racines sur chaque tronçon.

20. Ne serrez pas les graines, lors des semis : les plantules se gêneraient. Si elles sont trop serrées, supprimez les plus faibles.

21. Protégez votre jardin, en hiver, avec un paillis riche, en soignant bien les plantes frileuses, qui demandent un abri. Plantez en fonction de votre climat, si vous voulez que les végétaux croissent et reviennent chaque année. En climat froid, certaines vivaces seront employées comme annuelles.

les fleurs de A à Z

1. Les achillées ont des têtes plates aux nombreuses fleurettes, et un gracieux feuillage plumeux. Les fleurons doivent être serrés et dressés. La plupart sont ouverts ou entrouverts. En bouton, ils n'éclosent pas.

2. Sur les plantes avancées, les fleurons sont séparés, à pollen visible. La tête, molle, s'incline.

3. Les achillées sont de hautes plantes gracieuses pour le jardin, où elles tolèrent la sécheresse. Elles sont moins performantes en vase où elles fanent aisément. Donnez-leur beaucoup d'eau, ou rafraîchissez-les souvent pour les faire durer. Elles formeront un bel écrin coloré pour d'autres fleurs.

**NOMS :** Achillée, Toute-bonne.

**VARIÉTÉS :** Celles d'*Achillea millefolium*.

**COULEURS :** Tons de blanc, jaune, rose, pêche et rouge.

**PARFUM :** Odeur aromatique proche de la sauge.

**FRAÎCHEUR :** La plupart des fleurons sont ouverts.

**DURÉE :** Environ 3 à 5 jours.

**DISPONIBILITÉ :** Été et automne.

**COÛT :** Modéré.

**SIGNIFICATION :** Fleurs de la bonne santé et du bien-être. Symbole de guérison.

**PARTICULARITÉ :** Les achillées ont des emplois nombreux, mais surtout médicinaux, où elles servent à soigner des maux très variés, d'où leur surnom.

**EN VASE :** La plupart des variétés fanent aisément. Donnez-leur beaucoup d'eau, ou rafraîchissez-les assez court. La variété « Coronation Gold », robuste, dure longtemps et peut se faire sécher. Voir mise en vase 12 et 13.

**CULTURE :** C'est une vivace sans soucis. Elle pousse en sol maigre, sec, sans entretien et se naturalise un peu partout. Elle donne un ton champêtre à tout paysage ou jardin. Amateur de soleil, elle attire les papillons.

**AUTRES :** Faites tremper l'achillée, coupée, dans beaucoup d'eau froide, feuillage compris, pendant plusieurs heures.
Voir aussi soins et préparation, 32 et 34.

1. Les agapanthes portent, sur de hautes tiges vert foncé, épaisses, des boules de fleurs en trompette. Elles mesurent de 30 cm à 1 m, en moyenne. Une boule d'agapanthe fraîche est fermée aux deux tiers. L'inflorescence est dressée. Rien ne tombe si vous la secouez légèrement.

2. Les agapanthes âgées ont perdu quelques fleurs, comme le montrent les pétioles nus du centre. Quelques-unes ont séché ou perdu leur couleur ; les fleurons penchent et certains tombent aisément.

3. Quand les fleurs tombent, coupez ras les pétioles, pour laisser les boutons s'ouvrir ; les pétioles et fleurs fanées oubliés gênent leur épanouissement. Voir soins et préparation, 24. Ce petit effort prolonge la vie du bouquet.

4. Coupées court, à 10 cm sous la tête, ces agapanthes sont mêlées à ce bouquet dont seuls les fleurons dépassent. Cette fleur exotique prend alors un aspect bon enfant.

**NOM :** Agapanthe.

**COULEURS :** Du bleu clair au pourpre foncé et au blanc, plus rare.

**PARFUM :** Aucun.

**FRAÎCHEUR :** Un tiers des fleurs sont épanouies et dressées. Fleurs et boutons ne tombent pas à la manipulation. (Quelques fleurs très épanouies tomberont avant que les boutons n'éclosent.)

**DURÉE :** 7 à 10 jours et plus.

**DISPONIBILITÉ :** Toute l'année, mais surtout en été. Les souches sont vendues au printemps.

**COÛT :** Moyen.

**SIGNIFICATION :** Agapanthe signifie « fleur d'amour » en grec.

**EN VASE :** Ces fleurs exotiques ont tant d'allure que quelques tiges, seules, suffisent. On peut les utiliser, courtes, dans des mélanges souples.

**CULTURE :** On peut les cultiver, comme les hippeastrums, à l'intérieur, où elles fleurissent en été. Voir la plantation de l'hippeastrum page 98.

1a

1b

2

3

4

1. Les ails portent des bouquets d'étoiles.
a) La tête peut être compacte, globulaire, comme dans l'espèce *giganteum* ci-contre. Celle-ci peut atteindre 1,5 à 2 m de haut.
b) Il existe aussi des ails à tête lâche.

2. Sur un ail frais, le tiers à la moitié des fleurs sont ouvertes.

3. Âgées, les inflorescences sont très épanouies ; certaines fleurs ont séché. Leur odeur caractéristique est plus sensible.

4. *Allium neapolitanum*, petite espèce légère, blanche, est la seule à odeur agréable. Elle est excellente en bouquets.

**NOMS :** Ails, ails d'ornement.

**VARIÉTÉS :** Il y a plus de 400 ails. Leurs inflorescences sont composées de nombreuses étoiles, en boule serrée ou en grappes lâches. Voir photos 1a et 1b.

**COULEURS :** La plupart sont pourpres, mais on trouve le blanc, le rose et le jaune.

**PARFUM :** Légère odeur d'ail, sensible quand les fleurs sont froissées, brisées, ou lorsqu'elles vieillissent.

**FRAÎCHEUR :** Un tiers à la moitié des fleurons sont épanouis.

**DURÉE :** De 10 jours à 3 semaines. Changez souvent l'eau, qui restera inodore.

**DISPONIBILITÉ :** Cœur du printemps et été.

**COÛT :** Pour giganteum, élevé. Autres variétés : faible à moyen.

**SIGNIFICATION :** Les ails ont longtemps été parés de vertus magiques. On les gardait autrefois pour porter chance et éloigner les démons.

**EN VASE :** Ne brisez pas les fleurons, qui dégagent alors leur parfum. Voir mise en vase, 13.

**CULTURE :** Les ails sont faciles de culture et prolifiques. Ils aiment les sols maigres et secs, au soleil ou à mi-ombre. Ils durent près d'un mois au jardin. Plantez les variétés élevées à l'abri du vent, qui casse leurs tiges fragiles. Voir culture, 12.

**AUTRES :** Voir soins et préparation, 24 et 35.

1. Les alchémilles présentent de petites rosettes de fleurs chartreuse dominant de belles feuilles rondes. Fraîches, les rosettes sont serrées ; la couleur est très acidulée.

2. Avancées, les alchémilles ont des rosettes épanouies et leur couleur est passée au jaune. Les fleurettes supérieures ont viré au brun.

3. Leur texture mousseuse les rend aisées à associer en bouquet. On peut les serrer pour combler les vides, comme les aérer pour faire masse. Leur vive couleur souligne les autres fleurs et les désigne pour le second rôle, dans les bouquets avec un seul type de plante.

**NOM** : Alchémille.

**VARIÉTÉ** : *Alchemilla mollis.*

**COULEUR** : Chartreuse.

**PARFUM** : Aucun.

**FRAÎCHEUR** : Les fleurettes sont serrées et très colorées.

**DURÉE** : Environ une semaine.

**DISPONIBILITÉ** : Surtout en été, parfois au printemps.

**COÛT** : Modéré.

**PARTICULARITÉ** : Les gouttes d'eau, dans les feuilles, scintillent comme du mercure, métal capital en alchimie, d'où leur nom.

**EN VASE** : La texture légère des alchémilles leur permet d'étoffer les compositions maigres, serrées, et de combler des trous. Leur vive couleur donne une touche raffinée à tout bouquet. Voir également mise en vase, 8 et 12.

**CULTURE** : Les alchémilles, avec leurs fleurs vert vif, font merveille au jardin. Ce sont de bons couvre-sols, même fanées. Leurs grandes feuilles vertes font un tapis frais, dense, durant tout l'été et cachent à merveille des feuillages indésirables de bulbes ou autres plantes à l'aspect flétri ou disgracieux. Très faciles, demandant peu, elles supportent l'ombre comme le soleil. Bien vivaces, les alchémilles s'étoffent chaque année. Leurs feuilles recueillent et conservent la rosée, qui scintille le matin.

1. Les anémones sont des fleurs en coupe richement colorées. Fraîches, leur cœur vert ou noir est ferme, sans trace de pollen. Les pétales, bien colorés, sont serrés.

2. Âgées, les anémones ont un cœur poudreux. Les pétales sont moins colorés, et très séparés.

3. Les anémones s'ouvrent à la lumière et à la chaleur pour se fermer dans le noir et au froid. Elles se courbent aussi vers la lumière. Peu éclairées et gardées au frais, elles tiennent mieux. Pensez-y en faisant le bouquet. Voir soins et préparation, 18.

4. L'anémone du Japon est comparable à celle des fleuristes, sur les autres photos, mais à fleurs plus petites, roses ou blanches. C'est la meilleure au jardin où elle fleurit tout l'automne. L'*Anemone coronaria*, ou anémone des fleuristes, peu rustique, y fleurit brièvement, en avril-mai.

**NOM** : Anémone.

**VARIÉTÉS** : *Anemone coronaria* est l'anémone traditionnelle des fleuristes. Les races De Caen et Mona Lisa, plus grandes, en sont issues.

**COULEURS** : Blanc, divers roses et pourpres, magenta et lie-de-vin. Les cœurs sont verts ou noirs.

**PARFUM** : Aucun.

**FRAÎCHEUR** : Le cœur des fleurs est ferme, sans pollen. Les pétales sont très colorés, en coupe serrée.

**DURÉE** : De 5 à 7 jours. Gardez-les en lumière moyenne et dans une pièce fraîche pour les faire durer.

**DISPONIBILITÉ** : De décembre à mai, mais surtout au printemps.

**COÛT** : Hiver : moyen ; printemps : faible.

**SIGNIFICATION** : L'abandon.

**PARTICULARITÉ** : Les anémones correspondent aux « lis des champs » de l'Ancien Testament.

**EN VASE** : Elles s'ouvrent à la lumière et à la chaleur ; tenez-en compte et laissez-leur de la place dans les bouquets pour qu'elles s'épanouissent sans se gêner et prendre un air emprunté.

**CULTURE** : Les anémones du Japon, plus rustiques, fleurissent longtemps. Excellentes au jardin, elles tiennent bien en vase. On les trouve en blanc et rose.

**AUTRES** : Les anémones sont grosses buveuses. Vérifiez régulièrement le niveau d'eau.

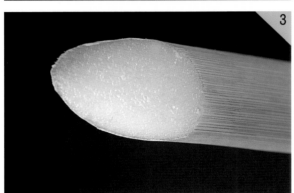

1. Les arums sont de ravissantes plantes aux fleurs en cornet et aux épaisses tiges fibreuses. Frais, le cornet est ouvert, mais avec une pointe dressée. Le cœur est net, sans pollen. La spathe est bien colorée, sans blessure.

2. Le cornet des arums âgés est recourbé et le cœur, bien visible, est chargé de pollen. La spathe peut être marquée ou décolorée, surtout en lisière.

3. Les tiges des arums, fibreuses, fonctionnent comme des éponges : elles absorbent et rendent de l'eau. C'est pourquoi les fleurs durent autant. Ces fleurs demandent peu d'entretien, mais veillez à recouper la base tous les quelques jours, pour qu'elle boive bien. Si les tiges se bouchent et se gorgent d'eau, elles pourrissent. Pour qu'elles restent fraîches, la circulation doit y être constante.

4. Ces arums feu en vase revêtent une élégante simplicité.

**NOMS** : Arum des fleuristes, Zantedeschia.

**VARIÉTÉS** : La plus commune est la forme blanche, de 1 m de haut. On en trouve des formes miniatures.

**COULEURS** : Blanc, divers jaunes, rose pâle à foncé, orange à cinabre, saumon, bourgogne, noir. La variété « Green Goddess » est lavée de vert.

**PARFUM** : Léger, sucré.

**FRAÎCHEUR** : Les fleurs sont ouvertes, mais le « pétale » (spathe) reste dressé. Le cœur est dénué de pollen. Pas de blessure visible.

**DURÉE** : 10 jours et plus. Ces fleurs retiennent bien l'eau.

**DISPONIBILITÉ** : Toute l'année, mais surtout au printemps.

**COÛT** : Élevé.

**SIGNIFICATION** : Ils symbolisent la beauté triomphante.

**PARTICULARITÉ** : Souvent liée à la pureté, l'espèce blanche est depuis longtemps employée dans les mariages et communions.

**EN VASE** : C'est le sommet de l'élégance. Ils donnent du caractère à toute composition, mais restent puissants, seuls.

**AUTRES** : Ils boivent bien ; vérifiez régulièrement le niveau d'eau. Voir aussi soins et préparation, 35.

1

2

3

4

1. Les bois à fleurs sont achetés ou coupés en boutons. Ces derniers sont développés et colorés. Mais même s'ils sont réduits, ils finissent par s'épanouir.

2. Les fleurs très ouvertes des bois âgés tombent au premier contact.

3. Quelques bois fleuris dans un bouquet donnent de l'élan et de la texture, tout en soutenant les autres fleurs. Faites le bouquet avec des branches encore fraîches.

4. Les bois à fruits sont employés comme des fleurs. Les fruits ajoutent une matière aux fleurs, comme ces pommes miniatures mêlées à des lis pêche.

**NOM** : Bois à fleurs.

**VARIÉTÉS** : Tout arbre à fleurs ou à fruits. Les plus connus sont les pommiers, les forsythias, les poiriers, les cerisiers et les cognassiers.

**COULEURS** : Les arbustes fleurissent surtout en blanc et rose. Les forsythias portent des étoiles d'or.

**PARFUM** : La plupart des fruitiers ont un merveilleux parfum frais.

**FRAÎCHEUR** : Achetez ou cueillez des branches en bouton. Elles se développeront et s'ouvriront lentement.

**DURÉE** : 10 jours et plus.

**DISPONIBILITÉ** : Surtout au printemps, mais on en trouve certains en hiver. Voir aussi culture, ci-dessous.

**COÛT** : Printemps : faible. Hiver : moyen.

**SIGNIFICATION** : Les fleurs de pommiers indiquent la préférence ; les fleurs d'oranger, symbolisant la fertilité, sont employées dans les mariages ; celles de pêcher signifient : « Je suis votre esclave » et celles de cognassier évoquent la tentation.

**EN VASE** : Les bois sont très utiles dans les grands bouquets où ils ajoutent de la matière et soutiennent les autres fleurs. Fruits et fleurs donnent également couleur et matière. Voir mise en vase, 9 et 16.

**CULTURE** : Les bois à fleurs abondent au printemps, mais on les force aisément en plaçant des bois hivernaux à l'intérieur. Coupez-les en février-mars, après qu'ils auront reçu leur content de froid. Placez-les dans l'eau tiède, en lumière douce. Quand les boutons éclosent, apportez-les en pleine lumière. Changez souvent l'eau. Soyez patient. Il faut un peu de temps, mais les boutons finissent par éclore.

**AUTRES** : Voir soins et préparation, 5, 6, 20 et 24.

1. Les bouvardias portent de petites fleurs tubulaires à quatre pétales égaux, au bout de minuscules tiges ligneuses. Frais, ils sont surtout en bouton, avec une ou deux fleurs ouvertes. Le tout doit être bien coloré.

2. Les fleurs des bouvardias âgés sont très épanouies ; certaines sont penchées ou sont tombées. Les tiges sont cassantes.

3. Les bouvardias fanent prématurément, faute d'irrigation de leur bois dense. Pour les faire durer, recoupez souvent les tiges et plongez-les dans l'eau tiède. Les fleurs seront ainsi mieux abreuvées. Retirez également tout feuillage et les inflorescences superflues pour favoriser les fleurs retenues.

**NOM :** Bouvardia.

**VARIÉTÉS :** Divers hybrides, simples ou doubles.

**COULEURS :** Blancs, roses, pêche, rouge et un vert tout récent.

**PARFUM :** Faible à absent.

**FRAÎCHEUR :** Des boutons, colorés, et de rares fleurs épanouies. Celles-ci sont sensibles aux chocs.

**DURÉE :** Environ 5 jours. Ils sont sensibles au manque d'eau. Les fleuristes spécialisés vendent un produit qui les aide à boire.

**DISPONIBILITÉ :** Toute l'année, mais surtout en été et automne.

**COÛT :** Moyen.

**EN VASE :** Très employés pour les mariages, ils ne tiennent pas, rappelons-le, hors de l'eau.

**AUTRES :** Voir soins et préparation, 4, 24 et 32.

1. Les bruyères sont des arbrisseaux bas aux branches couvertes de minuscules clochettes. Quand elles sont fraîches, ces dernières sont ouvertes, bien colorées et ne tombent pas.

2. Passées, les clochettes tombent au premier contact. Décolorées, elles sont rêches sous le doigt, car elles sèchent naturellement en vieillissant. La laque à cheveux retarde la chute.

3. Mieux vaut grouper les bruyères pour exalter leur vive couleur. Utilisées avec parcimonie, elles donnent un air brouillon aux bouquets. Ici, des espèces magenta vif sont serrées contre des roses rouge vif, chaque couleur, forte, soutenant l'autre.

**NOM :** Bruyère.

**VARIÉTÉS :** Calluna, Erica, Daboecia.

**COULEURS :** Surtout le rose, parfois le crème et le blanc.

**PARFUM :** Forte odeur de miel.

**FRAÎCHEUR :** La plupart des fleurs sont ouvertes, mais la pointe est encore en bouton. Rien ne bouge quand on les manipule.

**DURÉE :** Environ 5 jours. On peut les employer en bouquets secs.

**DISPONIBILITÉ :** Toute l'année, mais surtout en hiver et au printemps.

**COÛT :** Modéré.

**EN VASE :** Les bruyères sont associées aux landes, qu'elles tapissent de vives couleurs. Gardez cette idée en tête, pour les bouquets : si elles sont vives, groupées, on ne les voit plus quand elles sont séparées. Mieux vaut donc les employer par botte pour exalter leur matière et leur couleur. Voir aussi mise en vase, 12.

**AUTRES :** Un bassinage fréquent les garde fraîches. Essayez la laque à cheveux pour limiter leur chute. Voir soins et préparation, 4.

# camellia

1. Les camellias doivent être coupés ou achetés quand les boutons sont forts et colorés. Ils doivent s'entrouvrir. Vous serez sûr de les voir s'épanouir entièrement.

2. Les camellias avancés tombent facilement. Les fleurs s'abîment au toucher.

3. On profite au mieux des fleurs dans une coupe, où elles flottent. Les boutons se développent bien ainsi.

4. Le feuillage vert foncé du camellia, excellent compagnon de fleurs dénudées, est très employé. Il se marie ici à des œillets. Son vert sombre souligne mieux les fleurs que ne le fait leur propre feuillage.

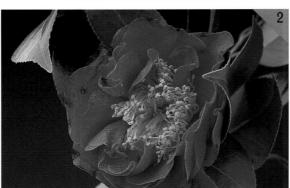

**NOMS** : Camellia, Camélia.

**VARIÉTÉS** : Il en existe 82 espèces. La plus connue pour ses fleurs cireuses, simples ou doubles, est *Camellia japonica.*

**COULEURS** : Blanc, crème, roses et rouges, unis ou panachés.

**PARFUM** : Parfois discrètement odorant.

**FRAÎCHEUR** : Les boutons, gonflés, sont bien colorés.

**DURÉE** : Des semaines, pour les feuilles ; quelques jours, pour les fleurs, qui tombent aisément.

**DISPONIBILITÉ** : Le feuillage, toute l'année ; en hiver/début de printemps, puis en automne, pour les fleurs.

**COÛT** : Moyen.

**SIGNIFICATION** : Symbole de grâce ; les camellias rouges symbolisent l'amour.

**PARTICULARITÉ** : Le thé est produit par une espèce de camellia.

**EN VASE** : Laissez flotter les fleurs dans une coupe. Le feuillage se marie à de nombreuses fleurs. Voir mise en vase, 6 et 16.

**AUTRES** : Voir soins et préparation, 5, 6 et 24.

1. Les chrysanthèmes offrent une gamme immense de formes et de tailles. Ils sont répartis en 13 catégories, suivant le type de fleuron, de forme des pétales. Les fleurs sont solitaires ou en bouquets. Les fleurons, simples ou doubles, vont de la « marguerite » au coussinet ou pompon. Les pétales peuvent être incurvés ou récurvés, ou les deux.

2. Un modèle répandu est fourni par cette très grande fleur ronde à pétales récurvés, qui gagne en popularité dans les bouquets.

3. Les chrysanthèmes sont des champions de durée. Mieux vaut les cueillir ou les acheter épanouis. Coupés trop tôt, ils ne s'ouvrent pas. Le cœur des types « pâquerette » sera visible. Les autres (coussinet ou pompon) seront ouverts, mais avec des pétales serrés au cœur. La couleur est vive et ils sont bien fermes.

4. Âgés, les chrysanthèmes ont des couleurs éteintes. Leurs ligules (« pétales ») sont séparées et s'amollissent ; elles peuvent tomber en partie quand on les touche.

5. Comme on le voit, chrysanthèmes et pâquerettes sont apparentés.

**NOM :** Chrysanthème.

**VARIÉTÉS :** Près de 1 000.

**COULEURS :** Presque toutes sauf le vrai bleu. On trouve des bicolores et bigarrés.

**PARFUM :** Les feuilles sentent l'artichaut ; les fleurs, chez certains, l'anis, la réglisse ou... rien

**FRAÎCHEUR :** Achetez ou cueillez des fleurs ouvertes aux deux tiers ou entièrement. Les boutons ne s'ouvrent guère en vase.

**DURÉE :** 10 à 15 jours ou plus.

**DISPONIBILITÉ :** Toute l'année, mais surtout en automne.

**COÛT :** Bon marché.

**SIGNIFICATION :** Le mot chrysanthème signifie « fleur d'or », en grec. Chaque couleur a son sens : rouge pour l'amour, blanc pour la vérité, jaune pour le mépris amoureux. Parfois refusée, parce que censée être funèbre, c'est la fleur nationale du Japon où elle signifie longue vie et bonheur.

**EN VASE :** De longue durée et appréciés dans les bouquets, les chrysanthèmes peuvent toutefois réduire la tenue d'autres fleurs et mieux vaut les isoler. Voir ci-après.

**AUTRES :** Les chrysanthèmes ont de grosses tiges qu'on devrait fendre ou écraser. Mieux vaut les fendre en biseau, cependant, en raison du gaz qu'elles libèrent. Changez souvent l'eau pour éviter la prolifération des bactéries nocives. Quelques éclats de charbon de bois y remédieront entre deux changements. Voir soins et préparation, 26.

1

2a

2b

3

1. Les cloches d'Irlande sont composées d'épis de 50-60 cm de haut, aux enveloppes vertes en coquille, enfermant de petites fleurs blanches. Quand elles sont fraîches, les bractées sont ouvertes et la fleur centrale est visible. Les épis sont drus et fermes au toucher.

2a, b. Avec l'âge, les pointes des tiges se recourbent. Les bractées sont refermées et parfois décolorées. L'ensemble est mou au toucher.

3. Plus que les fleurs, ce sont les bractées qui font leur beauté. On peut les employer comme du feuillage. Leur couleur exalte les autres fleurs et éclaire tout le bouquet. Voyez les conseils de mise en vase ci-dessous.

**NOMS** : Cloche d'Irlande, molucelle.
**COULEURS** : Toutes petites fleurs blanches cernées de bractées vert vif.
**PARFUM** : Faible odeur musquée.
**FRAÎCHEUR** : Les cloches sont ouvertes et les fleurs visibles. Les tiges sont dressées.
**DURÉE** : De 7 à 10 jours et plus.
**DISPONIBILITÉ** : Printemps et été.
**COÛT** : Bon marché.
**EN VASE** : Leur couleur vert vif est précieuse dans les mélanges. Employez-les comme un feuillage. Supprimez le tiers supérieur et réservez-le. Garnissez un vase avec les bases. Voir mise en vase, 6. Ajoutez les autres fleurs et garnissez le bord du bouquet des têtes réservées. Leur couleur l'éclaire nettement. Voir mise en vase, 13.
**AUTRES** : Voir soins et préparation, 24 et 35.

1. Les cosmos, rappelant les marguerites, ont un ou deux rangs de pétales. Les fleurs sont entourées d'un délicat feuillage plumeux. Ils peuvent mesurer de 1 à 2 m de haut. Frais, ils sont à peine éclos. Leurs pétales sont encore dressés et le cœur de la fleur ne présente que peu ou pas de pollen.

2. Les cosmos avancés ont des pétales retombants et le centre est riche en pollen. Au toucher, les pétales sont mous.

3. Le cosmos-chocolat, peu commun, a des pétales acajou, veloutés. Il sent vraiment le chocolat.

4. Quelques cosmos ajoutés à toute composition donnent un bouquet d'été parfaitement spontané.

**NOM :** Cosmos.

**VARIÉTÉS :** Le plus répandu, et le meilleur en bouquet, est *Cosmos bipinnatus*. On en trouve de simples et doubles, ainsi que l'espèce *Cosmos atrosanguineus*, ou cosmos-chocolat, moins fréquente.

**COULEURS :** Souvent rose, saumon, rouge et blanc et quelques formes panachées.

**PARFUM :** Aucun, sauf pour l'espèce « chocolat ».

**FRAÎCHEUR :** Achetez ou cueillez des fleurs entrouvertes, aux pétales encore dressés. Les boutons s'ouvrent en vase.

**DURÉE :** 3 à 5 jours, et jusqu'à 10 s'ils sont cueillis sur place.

**DISPONIBILITÉ :** Tout l'été.

**COÛT :** Faible. La forme « chocolat » : moyen.

**SIGNIFICATION :** Le mot grec *cosmos* désigne l'ordre et l'harmonie.

**EN VASE :** Ces belles fleurs légères sont parfaites pour des bouquets d'été aériens.

**CULTURE :** Peu de plantes poussent aussi vite. On les sème en place après les gelées et ils produisent des masses de fleurs tout l'été et en début d'automne. Mieux vaut les cueillir sur place. La variété « Sonata » pousse bien en pot. Voir culture, 20.

**PARTICULARITÉ :** Les cosmos attirent les papillons.

**AUTRES :** Voir soins et préparation, 24 et 26.

1. Les cyclamens portent des pétales colorés, très récurvés, sur des tiges brunes. Les feuilles en cœur sont fortement marbrées. On les vend surtout en automne et en hiver.

2. Les plants de cyclamen préfèrent un arrosage à la base. Arrosez assez, mais pas trop, les racines pourrissant aisément. Les feuilles s'inclinent et deviennent molles quand elles ont soif. Maintenez le sol à peine frais.

3. Nettoyez correctement les plantes pour favoriser la repousse. Supprimez à la base fleurs et feuilles fanées.

4. Les fleurs de cyclamen semblent des papillons posés sur ce bouquet printanier.

**NOM** : Cyclamen.

**VARIÉTÉS** : Il en existe environ 20 espèces. Celui des fleuristes est *Cyclamen persicum*. Il existe dans de nombreuses formes, y compris en miniature.

**COULEURS** : Blanc, rouge, rose et violet.

**PARFUM** : Très faible, épicé.

**FRAÎCHEUR** : Les plantes n'auront que quelques fleurs écloses, et de nombreux boutons colorés. D'autres doivent apparaître à la base. Les feuilles seront fermes, sombres, vert marbré, sans taches brunes.

**DURÉE** : Coupées, les fleurs dureront de 7 à 10 jours et plus. Bien soignées, les plantes durent des mois en fleurs.

**DISPONIBILITÉ** : On trouve les plantes à l'automne et au printemps.

**COÛT** : Moyen.

**SIGNIFICATION** : Modestie ou timidité.

**EN VASE** : Sans leurs feuilles en cœur, les fleurs prennent un nouvel aspect. Employez-les seules, pour un effet dépouillé, ou placez-les au sommet d'un bouquet pour avoir du piquant.

**CULTURE** : Arrosez les pots à la base. Laissez boire la plante autant qu'elle veut, lentement. Arroser en surface peut abîmer la souche ou les racines. Ne laissez pas les plantes baigner dans l'eau, où elles pourriraient. Les cyclamens aiment la lumière indirecte et un coin frais. Coupez ras fleurs et feuilles fanées pour favoriser la repousse. Voir culture, 2, 3 et 4.

**AUTRES** : Voir soins et préparation, 24.

1a, b, c. Les dahlias ont un ou plusieurs rangs de pétales. Les fleurons sont petits, en pompons, ou grands, rappelant alors marguerites ou pivoines. Leur hauteur varie de 30 cm à presque 2 m, avec des fleurs de 40 cm de large. Formes représentées : a) pompon ; b) décoratif ; c) cactus.

2. Achetez les dahlias frais, ouverts pleinement ou aux trois quarts, avec des pétales bien colorés, tous bien fermes.

3. Les dahlias fanent de l'extérieur vers le cœur. À l'achat, regardez donc l'arrière des fleurs. Ils s'assoiffent vite et le retrait de quelques feuilles et boutons les fait durer plus longtemps. Voir soins et préparation, 25 et 26.

4. Le feuillage vert foncé et les boutons latéraux des dahlias sont décoratifs. Mais si on les retire, les fleurs tiendront mieux. Réservez-les cependant, pour les bouquets. Voir mise en vase, 6 et 16.

5. Quand l'arrière de la fleur commence à faner, retirez délicatement les pétales fatigués pour avoir une fleur plus petite mais fraîche d'aspect.

**NOM** : Dahlia.

**VARIÉTÉS** : Il existe 28 espèces de dahlias et des centaines de variétés, séparées en 12 divisions suivant le type et la forme des fleurs.

**COULEURS** : Tous les tons, sauf le vrai bleu. Beaucoup sont striés et panachés. Certaines couleurs et associations semblent fluorescentes, irréelles.

**PARFUM** : Aucun.

**FRAÎCHEUR** : Achetez ou cueillez des fleurs épanouies pleinement ou aux trois quarts. Les pétales externes ne doivent être ni décolorés ni fripés.

**DURÉE** : Environ 5 jours, parfois moins.

**DISPONIBILITÉ** : Été et automne.

**COÛT** : Bon marché.

**EN VASE** : Quand les dahlias commencent à faner, retirez doucement les pétales de l'arrière pour rafraîchir la fleur.

**CULTURE** : Les dahlias fleurissent abondamment durant toute la saison. À la différence de nombreux bulbes et tubercules, qui ne donnent qu'une fois puis se reposent pendant un an, ils s'épanouissent longtemps et colorent l'arrière-saison. Mais ils sont gélifs : retirez les souches avant les gelées et abritez-les pour les replanter au printemps. Pour avoir de grosses fleurs, voir culture, 18.

**AUTRES** : Voir soins et préparation, 25 et 26.

1. Les delphiniums donnent de hauts épis garnis de fleurons. En coupe, ceux-ci s'ouvrent en étoile. Frais, un delphinium a trois quarts de ses fleurons ouverts, avec quelques boutons au sommet. Les fleurs sont légèrement dressées, les tiges droites, et les pétales ne tombent pas si on les secoue.

2. Les delphiniums hybrides (à droite) sont élevés, à grosses fleurs serrées sur de fortes tiges creuses. Les formes Belladonna (à gauche) sont comparables mais plus courtes, à fleurs plus petites et plus espacées.

3. Les fleurs de delphiniums avancées penchent. Les pétales tombent à la moindre secousse.

4. Les delphiniums donnent de l'élan aux bouquets sans façon, mais, coupés en trois, peuvent fournir des bouquets dressés des plus stricts. On peut aussi les associer à toutes les compositions.

**NOM** : Delphinium.

**VARIÉTÉS** : Il en existe 250 espèces. Les plus connues sont les hybrides à grosses fleurs de *Delphinium elatum* et les types Belladonna, ou *Delphinium grandiflorum*. Voir photo 2.

**COULEURS** : Surtout les tons bleus, violets, pourpres et blancs. Il en existe de rares rouges et jaunes. Les hybrides, outre le bleu et le pourpre, offrent le crème et le rose clair. Certains ont un « œil » central blanc ou noir.

**PARFUM** : Aucun.

**FRAÎCHEUR** : Les trois quarts des fleurs sont ouvertes, avec quelques boutons au sommet. Pris entièrement en bouton, ils ne s'ouvrent pas.

**DURÉE** : 5 à 7 jours.

**DISPONIBILITÉ** : Toute l'année, mais surtout en été et en automne.

**COÛT** : Hybrides : moyen à très élevé. Autres : bon marché.

**SIGNIFICATION** : Le nom delphinium vient du grec *Delphis*, le dauphin, le bouton ressemblant au profil de l'animal.

**PARTICULARITÉ** : Certaines espèces sont très toxiques.

**EN VASE** : Les delphiniums sont parfaits en bouquets libres, aérés, où leurs épis donnent de l'élan. Coupés en deux ou trois, ils forment des compositions plus sophistiquées, serrées, en compagnie d'autres fleurs. Voir aussi mise en vase, 13, 15 et 16.

**CULTURE** : Les grands hybrides dépassent parfois les 2 m de haut. Ces plantes sont parfaites en fond de plate-bande. Elles aiment le soleil et sont gourmandes en eau et en nourriture. Elles apprécient un climat frais et humide, mais supportent les hivers très froids. Les delphiniums fleurissent en début d'été, mais peuvent être incités à refleurir en automne. Classés comme vivaces, ils s'affaiblissent cependant en quatre à cinq ans et doivent alors être remplacés. Tuteurez les tiges encore jeunes, qui cassent au premier coup de vent. Voir culture, 16.

**AUTRES** : Voir soins et préparation, 8, 24, 29, 30 et 31.

# digitale

1. Les digitales sont de hautes fleurs à nombreuses clochettes pendantes serrées sur la tige. Elles sont ponctuées de brun à la gorge, pour guider les abeilles pollinisatrices. Le tiers inférieur est fleuri, sur les digitales fraîches ; le reste en en bouton. La pointe, bien garnie, s'épanouit correctement, après une bonne préparation. La tige est ferme et droite.

2. Les digitales âgées portent des fleurs fanées et leur pointe s'incurve. Retirez les fleurs fatiguées et recoupez la tige pour la rafraîchir.

3. Gracieuses, les digitales donnent une touche surannée aux compositions.

**NOMS :** Digitale, Gant de Notre-Dame.

**VARIÉTÉS :** La plus connue est *Digitalis purpurea.*

**COULEURS :** Le blanc et divers roses, lavande et crème. La gorge est sablée de brun.

**PARFUM :** Aucun.

**FRAÎCHEUR :** Seul le tiers inférieur est épanoui.

**DURÉE :** 10 jours et plus.

**DISPONIBILITÉ :** Printemps.

**COÛT :** Moyen.

**SIGNIFICATION :** *Digitalis* vient du nom latin des doigts. L'un des noms communs fait appel, non à la Vierge, mais aux fées, qui passaient pour donner des pouvoirs magiques aux fleurs, censées ne pas laisser d'empreintes, une fois enfilées. C'est le symbole de la tromperie.

**PARTICULARITÉ :** Toute la plante est toxique. Les feuilles, cependant, fournissent la digitaline, substance utile en médecine cardio-vasculaire.

**CULTURE :** La plupart des variétés ne fleurissent que sur une face. Ceci, ajouté à leur taille, indique les digitales pour tapisser un mur ou tout autre fond. Si elles se plaisent, elles réapparaissent année après année, mais ce sont des capricieuses. Elles préfèrent un peu d'ombre, où elles éclosent au printemps et en été, voire en automne avec un peu d'aide. Voir culture, 16.

**AUTRES :** Leurs tiges épaisses, denses, doivent être recoupées souvent, sinon elles se bouchent. Voir aussi soins et préparation, 24 et 29.

1

2 3

4

1. Les érémurus donnent de très hauts épis de fleurs nombreuses, en étoile. Ils peuvent atteindre de 1 à 2,5 m de haut. Frais, un tiers des fleurs sont épanouies, les autres étant en bouton, bien colorées. La pointe de la tige est bien garnie.

2. Avancées, les tiges d'érémurus sont fleuries aux trois quarts. Les fleurs de la base sont sèches et décolorées.

3. Les érémurus durent longtemps en vase. Les fleurs de base, fanées avant l'épanouissement de celles du haut, doivent être retirées. Cette tige paraîtra maigre après le nettoyage. Attendez quelques jours que les fleurs l'aient étoffée, ou recoupez-la pour lui donner de bonnes proportions. Laisser les fleurs fanées empêche les boutons de s'ouvrir.

4. Une tige d'érémurus âgée et nettoyée peut être raccourcie et employée pour rehausser des bouquets variés. Plus tard encore, quand d'autres fleurs sont épanouies, on peut la réutiliser seule, ou dans une nouvelle composition. Bien tenus, les érémurus durent des semaines.

**NOM** : Érémurus.

**COULEURS** : Les jaunes sont répandus, mais on trouve des orange, roses et blancs.

**PARFUM** : Très faible.

**FRAÎCHEUR** : Le tiers inférieur doit être épanoui. Les boutons du centre doivent être colorés et ceux du haut bien fermés.

**DURÉE** : 10 à 15 jours et plus.

**DISPONIBILITÉ** : Printemps et début d'été.

**COÛT** : Moyen.

**EN VASE** : Très élevés, durables, les érémurus sont excellents en vase. Employez-les, jeunes, pour élancer une composition. Quand les fleurs de base fanent et sont éliminées, coupez la tige et utilisez-la en compositions moyennes à courtes. Bien entretenus, ils durent trois semaines, où ils ne cessent d'être beaux. Voir aussi mise en vase, 15.

**CULTURE** : Les érémurus sont surtout cultivés par des professionnels de la fleur coupée et peu par les amateurs. Leurs spectaculaires épis s'épanouissent en juin au jardin, à 2,5 m de haut, parfois. Comme ils éclosent avant la plupart des autres plantes élevées, vous pouvez avoir une bordure spectaculaire assez tôt. Ils durent trois semaines, sur pied. Leurs bourgeons, précoces, sont sensibles aux gelées ; couvrez-les donc d'un paillis protecteur jusqu'à disparition du danger. Voir culture, 12.

**AUTRES** : Voir soins et préparation, 20, 24 et 29.

1. *Euphorbia fulgens* produit de longs bouquets de fleurettes sur une tige courbe de 60 à 80 cm de long. C'est la variété la plus populaire en bouquets. Ses fleurons doivent être presque tous ouverts, sans mâchures. Les fleurs s'abîment aisément sous les chocs.

2. *Euphorbia marginata* est surtout employée comme feuillage. Son élégante panachure blanche est naturelle, et non le fruit d'une sélection.

3. Certaines espèces, telle *Euphorbia characias*, rappellent des cactées vert vif.

4. Les euphorbes sécrètent une sève laiteuse, qui trouble l'eau du vase. Changez l'eau souvent et gardez les vases pleins pour prolonger leur durée. Pour les faire tremper, ou les installer, employez de l'eau assez chaude : coupez-les et plongez-les dans l'eau chaude à très chaude durant quelques minutes. La sève s'écoulera, remplacée par l'eau. Plongez alors les tiges dans l'eau fraîche, sans les retailler. L'eau restera propre et la coupe partiellement cicatrisée.

**NOM** : Euphorbe.

**VARIÉTÉS** : Il en existe près de 8 000 espèces ! Les trois variétés les plus répandues sont *Euphorbia fulgens* (photo 1), *Euphorbia marginata* (photo 2) et *Euphorbia characias* (photo 3).

**COULEURS** : Les *Euphorbia fulgens* sont disponibles en orange, rouge, jaune, saumon et blanc. Les poinsettias sont rouges, blancs, saumon ; on en trouve aussi en divers roses. L'*Euphorbia marginata* est vert clair panaché de blanc à fleurettes terminales blanches. L'*Euphorbia characias* est vert vif avec des « yeux » noirs.

**PARFUM** : Aucun.

**FRAÎCHEUR** : Les fleurs sont presque toutes ouvertes. Les feuilles fanent souvent après la coupe.

**DURÉE** : Environ une semaine.

**DISPONIBILITÉ** : *Euphorbia marginata*, toute l'année. Les autres, de l'automne au printemps.

**COÛT** : *Euphorbia fulgens* : moyen. *Euphorbia marginata* : bon marché. *Euphorbia characias* : moyen.

**PARTICULARITÉ** : Les euphorbes exsudent un latex caustique. Portez des gants pour les manipuler. Leur ingestion est dangereuse. Le poinsettia des potées d'hiver est une forme d'euphorbe.

**EN VASE** : Le mieux est de supprimer toutes les feuilles, qui fanent vite. Essayez les poinsettias en vase.

**AUTRES** : Voir soins et préparation, 27.

1. Les freesias sont des plantes délicates aux fines tiges portant des inflorescences incurvées, odorantes. Leurs longues feuilles effilées sont d'ordinaire supprimées avant la vente. Hauts de 30 cm en moyenne, ils portent de 8 à 12 fleurs.

2. Cueillez ou achetez des freesias en boutons, celui de la base juste entrouvert, les deux ou trois suivants bien gonflés et colorés. Ils s'ouvriront successivement, sauf les tout derniers.

3. Les freesias avancés sont longuement épanouis ; les fleurs basales sont fripées et molles.

4. Ils fanent de la base vers le haut. Quand on pince les fleurs fanées, les tiges apparaissent dénudées. Liez-en deux ensemble pour les étoffer, et pouvoir les mettre en bouquet.

**NOM** : Freesia.

**VARIÉTÉS** : Divers hybrides, simples ou doubles.

**COULEURS** : Toutes sortes de tons, excepté le vrai bleu.

**PARFUM** : Sucré et délicat.

**FRAÎCHEUR** : Le bouton de base est à peine ouvert, les trois ou quatre suivants, bien formés, sont colorés. La pointe, riche en boutons, est verte.

**DURÉE** : 5 à 7 jours.

**DISPONIBILITÉ** : Toute l'année.

**COÛT** : Moyen.

**SIGNIFICATION** : Innocence.

**EN VASE** : Les freesias fanent de la base vers le haut. Quand on pince les fleurs fanées, les tiges apparaissent dénudées. Liez-en deux ensemble pour les étoffer, et pouvoir les mettre en bouquet.

**CULTURE** : On peut forcer les bulbes en pots, à l'intérieur, mais avec plus de temps et de soins que nombre d'autres bulbeuses. Il leur faut beaucoup de lumière, dans la journée, et des nuits fraîches. Bien traités, ils fleurissent quatre à cinq mois après la plantation. L'attente est récompensée par le délicat parfum. Voir culture, 10 et 11.

**AUTRES** : Voir soins et préparation, 24.

1. La *Fritillaria imperialis* est une grande plante portant une couronne de clochettes pendantes sous un toupet de feuillage. Elle atteint d'ordinaire 1 m de haut. Les fleurs doivent être ouvertes. Cette superbe espèce est malheureusement malodorante.

2. Les fritillaires méléagres ont de petites clochettes pendantes marquées en damier, sur des tiges de 30 cm de haut. Leurs fleurs sont ouvertes ou entrouvertes.

3. *Fritillaria persica* donne de superbes épis pourpre foncé, presque noir, de clochettes serrées. Elle atteint 0,5 à 1 m de haut. Les trois quarts des fleurs seront ouvertes, avec quelques boutons au sommet.

4. *Fritillaria michailovskyi* porte des clochettes brunes à pointe d'or. Elle atteint 20 à 30 cm de haut. Les fleurs doivent être écloses.

5. Les fritillaires comptent parmi les fleurs les plus étonnantes, au jardin comme en bouquet. Leurs formes et couleurs donnent une pointe inattendue. Les petites clochettes de *Fritillaria michailovskyi* ponctuent à la perfection ces tulipes sombres, de forme comparable.

**NOM** : Fritillaire.

**VARIÉTÉS** : *Fritillaria imperialis* ou couronne impériale. Voir photo 1. *Fritillaria meleagris* est également appelée œuf-de-vanneau, œuf-de-pintade. Voir photo 2. *Fritillaria persica*, voir photo 3. *Fritillaria michailovskyi*, voir photo 4.

**COULEURS** : La couronne impériale est disponible en divers oranges, rouges et jaunes. Les méléagres revêtent des tons peu communs, crème ou lie-de-vin ponctués de plus foncé, ou le blanc pur. Les fleurs de persica vont du pourpre sombre au noir. L'espèce michailovskyi est brun à pointe or.

**PARFUM** : Certaines espèces ont une odeur musquée peu agréable.

**FRAÎCHEUR** : Les fleurs doivent être ouvertes. Elle montre une couleur marquée, plus lumineuse avec l'âge.

**DURÉE** : La couronne impériale, 7 jours ou plus. Les méléagres et michailovskyi, 3 à 5 jours ; et 5 à 7 jours pour persica. Changez l'eau très souvent pour limiter l'odeur déplaisante.

**DISPONIBILITÉ** : Mars à mai.

**COÛT** : Les impériales et persica : élevé. Les méléagres et michailovskyi : moyen.

**CULTURE** : Toutes, avec leurs formes et couleurs originales, donnent une touche élégante au jardin, l'espèce persica, en particulier, avec les jonquilles et tulipes. Toxiques, les bulbes aident à repousser les rongeurs. La simple odeur de *Fritillaria imperialis* est censée les éloigner fortement. Voir culture, 12.

**AUTRES** : Voir soins et préparation, 28.

1

2

3

4

5

1. Les gerbéras portent de grandes fleurs sur des tiges tubulaires. Ils revêtent des quantités de couleurs simples ou mélangées. On en trouve de taille normale, de miniatures, et des géants.

2. Frais, le gerbéra est bien ouvert, avec des pétales fermes, plutôt dressés, et une tige ferme. La couleur est vive et le pollen, absent.

3. L'étonnant gerbéra « spider ».

4. Les gerbéras avancés ont des pétales légèrement retombants et un cœur riche en pollen. Pétales et tige sont mous, au toucher.

5. Mêlés à tout bouquet, ils y apportent une note joyeuse et vive et lui donnent une allure libre.

**NOM** : Gerbéra.

**VARIÉTÉS** : La forme à grandes fleurs et les mini-variétés Gemini. Toutes existent en simple et double. Une forme géante est apparue récemment.

**COULEURS** : Il existe des centaines de couleurs et associations, mais sans le bleu et le noir. Beaucoup sont bicolores ou panachés, avec des cœurs jaunes ou noirs.

**PARFUM** : Aucun.

**FRAÎCHEUR** : Les pétales sont bien ouverts, mais dressés. Fleurs et tiges sont fermes au toucher. Le cœur n'a pas de pollen.

**DURÉE** : 5 à 7 jours. La tige duveteuse pourrit vite en eau profonde. S'ils sont seuls, ne leur donnez qu'un fond d'eau.

**DISPONIBILITÉ** : Toute l'année.

**COÛT** : Moyen.

**EN VASE** : Ces vraies fleurs bon enfant réveillent et colorent tout bouquet, mais font également bel effet lorsqu'on les présente en masse. Voir pages 42 et 43 et mise en vase, 13 et 18.

**CULTURE** : On trouve les gerbéras en pot, où ils durent environ trois semaines. En climat très doux, ils iront au jardin et y fleuriront tout l'été.

**AUTRES** : Pour garder des gerbéras droits, soutenez les têtes avant de les faire tremper. Couvrez un seau suffisamment profond de grillage à poulailler qui calera les têtes, les tiges pendant librement dans l'eau. Laissez-les tremper ainsi plusieurs heures. Voir également soins et préparation, 31 et 33.

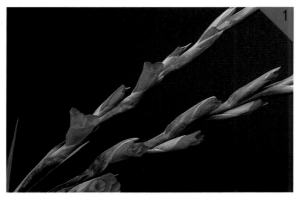

1. Les glaïeuls sont de hautes plantes spectaculaires, de 1 à 1,2 m de haut, couvertes d'un côté de fleurs en entonnoir qui s'ouvrent de bas en haut. Les feuilles, longues, sont effilées. Quand ils sont frais, deux fleurons de base sont épanouis, sans bords décolorés. Les cinq ou six boutons suivants sont bien colorés et formés. La pointe est riche en boutons – qui ne s'ouvrent guère, d'ordinaire – et les fleurs de base fanent normalement quand les autres éclosent.

2. Des formes miniatures, tel *Gladiolus orchideola*, à droite sur la photo, portent quelques fleurs, petites, sur une tige mince. Elles sont bien espacées. Souples et gracieuses, ces formes conviennent mieux aux bouquets mélangés.

3. *Gladiolus tristis* est un glaïeul nain assez peu commun. De couleur chartreuse pâle, il exhale un doux parfum nocturne. Il n'est fleuri que brièvement, en été.

4. Les glaïeuls avancés ont toutes leurs fleurs de base ouvertes, fanées sur les bords, décolorées et molles. En achetant des glaïeuls, assurez-vous qu'ils ont leur compte de fleurs, au cas où ces fleurs basales auraient été supprimées.

5. Des glaïeuls assemblés prennent un air soit suranné, soit très moderne. C'est ainsi qu'ils montrent le mieux leur talent.

**NOM :** Glaïeul.

**VARIÉTÉS :** Grands hybrides (voir photo 1) et formes miniatures. Chez ces dernières, les plus répandus sont *Gladiolus colvillei* et *Gladiolus orchideola* (photo 2). Le petit *Gladiolus tristis* (photo 3) est moins commun.

**COULEURS :** Presque tous les tons, excepté le vrai bleu. On en trouve de bicolores et bariolés.

**PARFUM :** Aucun, sauf pour la variété tristis.

**FRAÎCHEUR :** Une ou deux fleurs de base sont ouvertes, et cinq ou six boutons sont bien colorés. La pointe est riche en boutons, qui ne s'ouvrent pas en vase. Les fleurs basales fanent quand les autres s'ouvrent.

**DURÉE :** 10 jours et plus.

**DISPONIBILITÉ :** Toute l'année, mais surtout l'été. Les miniatures, en été et début d'automne.

**COÛT :** Faible.

**EN VASE :** Ces fleurs royales donnent élan et tenue aux bouquets, mais leur raideur les rend difficiles à associer et leurs fleurs basales sont souvent masquées par leurs compagnes. On les apprécie mieux en masse. Voir aussi mise en vase, 15.

**AUTRES :** Voir soins et préparation, 24 et 29.

1

2

3

4

1. Les gloriosas, portées par une liane, sont des fleurs éclatantes aux pétales récurvés. Rouge vif, ceux-ci sont bordés de jaune. Elles ressemblent à certains lis, auxquels elles sont apparentées. Fraîches, elles sont bien épanouies, mais sans pollen visible. Bien colorés, les pétales sont fermes.

2. Les gloriosas avancées ont des pétales envahis de rouge, parfois desséchés. Ils sont mous et l'ensemble paraît fripé.

3. Cette plante, grimpante, est parfois fournie avec ses vrilles. Accrochez celles-ci dans les fleurs voisines pour donner l'illusion qu'elles y grimpent.

4. Exotiques, les gloriosas peuvent être mêlées à des fleurs de jardin classiques, qu'elles tonifieront.

**NOM :** Gloriosa.

**VARIÉTÉ :** *Gloriosa rothschildiana.*

**COULEURS :** Rouge éclatant à vives rayures jaunes sur les bords ; on trouve parfois une forme orange.

**PARFUM :** Aucun.

**FRAÎCHEUR :** Les fleurs sont bien ouvertes. On les trouve d'ordinaire en tiges courtes détachées de la liane, ou par deux ou trois sur un tronçon de liane, avec quelques boutons verts. Mais ceux-ci ne s'ouvrent guère.

**DURÉE :** 5 à 7 jours et plus.

**DISPONIBILITÉ :** Toute l'année.

**COÛT :** Tiges courtes : modéré. Grands tronçons : élevé.

**EN VASE :** Contrairement à beaucoup de lianes, ces fleurs tiennent assez bien si on ne les détache pas de la tige. Drapez-en la base de n'importe quelle composition. Leur aspect tropical leur permet de se mêler aux fleurs surannées. Elles gardent souvent quelques vrilles, qu'on accrochera aux autres fleurs pour donner un air naturel au bouquet. Voir mise en vase, 1.

**AUTRES :** Cette plante pousse en atmosphère chaude et humide. Un bassinage à l'eau tiède prolongera la vie des fleurs.

1. Les hippeastrums et amaryllis sont de hautes fleurs à épaisses tiges vertes portant de deux à cinq grandes fleurs. Les « miniatures » sont comparables, en plus petit.

2. La véritable *Amaryllis belladonna* a des tiges pourpres et des fleurs roses, très odorantes.

3. Les fleurs d'un hippeastrum frais sont fermées, ou entrouvertes. Les boutons sont colorés et de belle taille et la tige est ferme et droite. La base est naturellement retroussée, sans influence sur la fraîcheur.

4. Âgés, les hippeastrums sont très épanouis, avec des pointes de fleurs sèches ou décolorées. Les tiges sont molles et peuvent casser ou se friper.

5. Surtout employés en bouquets hauts, les hippeastrums, coupés courts et mêlés à quelques fleurs, donnent des arrangements élégants et durables avec peu d'éléments.

**NOMS** : Hippeastrum, amaryllis, amaryllis d'intérieur.

**VARIÉTÉS** : On voit la vraie *Amaryllis belladonna* sur la photo 2 et les hybrides d'Hippeastrum, plus répandus, sur la photo 1. Ces derniers peuvent être simples ou doubles.

**COULEURS** : Blanc, jaune pâle ou vert ; divers roses ; saumon, rouge, rouge et lie-de-vin. Certains sont striés ou panachés.

**PARFUM** : Aucun, sauf la vraie amaryllis, à odeur sucrée.

**FRAÎCHEUR** : Les boutons sont fermés, bien colorés et de bonne taille. Méfiez-vous des pointes de boutons mâchées.

**DURÉE** : De 7 à 10 jours et plus.

**DISPONIBILITÉ** : Les hippeastrums sont disponibles de décembre à avril, pour les bouquets. Les bulbes sont vendus en automne. Les amaryllis sont disponibles d'août à octobre.

**COÛT** : En hiver, élevé. Au printemps, moyen.

**SIGNIFICATION** : C'est le symbole de la fierté.

**EN VASE** : Les hippeastrums peuvent dépasser les 60 cm. Seuls ou mêlés à des hauts bouquets, ils sont impressionnants, ainsi que coupés courts. Voir mise en vase, 14.

**CULTURE** : Pour forcer les hippeastrums, prenez un pot à peine plus large que le bulbe. Celui-ci aime être à l'étroit, où les risques de pourriture sont moindres. Laissez dépasser le tiers supérieur. Arrosez une fois, et placez le pot en pleine lumière. N'arrosez de nouveau qu'après le démarrage, puis une ou deux fois par semaine. Après la floraison, poursuivez les arrosages jusqu'à fanaison des tiges et feuilles : ces dernières constituent les réserves pour la prochaine floraison. Cessez tout apport d'eau, et laissez le tout au sec et dans le noir pendant six mois. Puis recommencez. Plus le bulbe est âgé, plus il fleurit. L'achat de gros bulbes vaut la dépense. Voir culture, 11.

**AUTRES** : Les hippeastrums en boutons s'ouvrent lentement en se dirigeant vers la lumière. Placez-les en un lieu éclairé ou tournez le vase ou le pot régulièrement. Voir soins et préparation, 30.

# hydrangéa

1a

1b

1c

2

3

4

**1a, b, c.** Les hydrangéas sont des arbustes aux larges bouquets de nombreuses fleurs. Les trois types répandus sont : a) les hortensias, populaires, à grosse tête ronde ; b) les « têtes-plates » aux bouquets légers de petites fleurs et à couronne de bractées ; c) les fleurs en cônes ou panicules, de couleur crème.

**2.** Un hydrangéa frais a des fleurs ouvertes, les têtes-plates exceptés. L'inflorescence est ferme au toucher.

**3.** Sur un hydrangéa avancé, certains fleurons sont fanés et l'ensemble est mou.

**4.** Donnez des soins particuliers à vos hydrangéas : couvrez-les d'un tissu humide, après la cueillette.

**NOMS :** Hydrangéa, hortensia.

**VARIÉTÉS :** *Hydrangea macrophylla*, qui recouvre les hortensias et les têtes-plates, et *Hydrangea paniculata*, aux fleurs en panicules, comme un lilas.

**COULEURS :** Divers tons, clairs ou foncés, de bleu, pourpre, rose, blanc, vert et quelques lie-de-vin. Quelques-uns sont bicolores.

**PARFUM :** Aucun.

**FRAÎCHEUR :** L'ensemble des fleurons est épanoui et ferme au toucher.

**DURÉE :** Bien préparés, de 5 à 7 jours, voire davantage.

**DISPONIBILITÉ :** Été et automne.

**COÛT :** Modéré.

**SIGNIFICATION :** Persévérance.

**EN VASE :** Ces grosses fleurs sont merveilleuses pour créer la base, colorée, des compositions. Elles fonctionnent en quelque sorte comme un gros coussin qui maintient les fleurs que vous y piquerez. Voir mise en vase, 14. Les fleurs cueillies en arrière-saison peuvent sécher en conservant forme et couleur.

**AUTRES :** Les hydrangéas ont vite soif, une fois coupés. Soignez-les pour les voir durer. Plongez la base des tiges dans l'eau bouillante, en protégeant les fleurs de la vapeur. Puis trempez la base ébouillantée dans l'alun en poudre. Éliminez l'excédent avant de les mettre dans l'eau fraîche. Couvrez les têtes d'un linge humide, que vous bassinerez durant les quatre heures, environ, de mise en condition. Les inflorescences seront plus fermes. Voir aussi soins et préparation, 4, 25, 26 et 38.

1a

1b

1c

2

3

4

5

**1a, b, c.** Les iris sont des fleurs d'aspect exotique, aux vives couleurs et à la forme originale. Elles comportent trois pétales internes recourbés, dressés, et trois externes, retombants. Les trois types répandus chez les fleuristes sont : a) les iris de Hollande, très élégants ; b) les iris de Sibérie ; c) les variétés à grosses fleurs dites des jardins. Ces derniers portent, sur les pétales retombants, une « barbe » mousseuse, colorée. Elle sert à attirer les abeilles.

**2.** *Iris reticulata* est une espèce en miniature de 10-15 cm de haut. On peut le forcer pour l'hiver.

**3.** Ne cueillez ou achetez les iris qu'en bouton. Ils s'ouvrent vite et durent peu. Les boutons, bien formés, doivent être colorés et fermes. Si la pointe est sèche, décolorée, la fleur ne s'ouvrira pas.

**4.** Les iris avancés sont épais, avec des pointes décolorées et fanées.

**5.** Les iris sont beaux tout seuls mais ils se marient aussi parfaitement avec d'autres fleurs qu'ils colorent et exaltent. Leur forme particulière permet d'y glisser leurs compagnes sans difficulté.

**NOM :** Iris.

**VARIÉTÉS :** L'iris de Hollande, répandu, les grands iris des jardins et l'iris de Sibérie.

**COULEURS :** Presque toutes, plus des associations. Le cœur de la fleur et les pétales externes ont parfois d'autres tons que les pétales internes. Les formes de Hollande sont surtout bleues et pourpres, marquées de jaune.

**PARFUM :** Seuls les iris des jardins ont un parfum, fruité.

**FRAÎCHEUR :** Achetez-les ou coupez-les en bouton. Ils s'ouvrent vite et durent peu.

**DURÉE :** 3 à 5 jours.

**DISPONIBILITÉ :** Toute l'année pour l'iris de Hollande. Pour les autres, le printemps.

**COÛT :** Modéré à moyen.

**SIGNIFICATION :** « J'ai un message pour vous. »

**EN VASE :** Les iris, par leur forme spéciale, relèvent les autres fleurs, en bouquet. Leur forme permet de serrer celles-ci tout contre eux. Voir mise en vase, 13.

**CULTURE :** Les iris poussent vite et fleurissent au mieux au bout de trois ans, après quoi, il faut les diviser. Le feuillage reste vert après la fanaison. Ses grands éventails effilés donnent du relief au jardin. Voir culture, 10, 11, 12 et 19.

1. Les jacinthes ont divers parents, tels les muscaris, plus réduits et à parfum de miel.

2. Les formes classiques donnent de lourds épis aux clochettes nombreuses. Fraîches, celles-ci sont fermées, excepté quelques-unes à la base. La couleur est vive et le parfum, frais.

3. Âgées, les jacinthes sont entièrement ouvertes. La couleur est fade et l'odeur forte.

4. Leur base est épaisse et fibreuse. Cette partie, blanche, doit être retirée avant la mise à l'eau. Celle-ci pénétrera bien dans les tiges pour atteindre les fleurs.

5. Jacinthe forcée en vase : un bon moyen d'apprécier pleinement cette fleur.

**NOMS** : Jacinthe ; muscari, jacinthe des bois pour les petites espèces.

**VARIÉTÉS** : *Hyacinthus orientalis*, en simple et double. Le *Muscari armeniacum* est la petite espèce la plus connue.

**COULEURS** : Divers tons de rose, crème, blanc, pourpre, le bleu restant dominant.

**PARFUM** : Parfum suave devenant fort avec l'âge.

**FRAÎCHEUR** : Achetez ou cueillez des jacinthes à peine ouvertes.

**DURÉE** : 7 à 10 jours et plus.

**DISPONIBILITÉ** : D'octobre à mai.

**COÛT** : Hiver : modéré à élevé. Printemps : modéré.

**SIGNIFICATION** : Souvenir. On gravait souvent cette fleur sur les tombes.

**PARTICULARITÉ** : Les jacinthes sont toxiques. Portez des gants pour manipuler tiges et bulbes. À la plantation, ceux-ci peuvent irriter la peau.

**EN VASE** : Cette belle fleur est si changeante au cours de sa vie qu'il vaut mieux l'employer seule.

**CULTURE** : Elles sont superbes, forcées, en hiver. Voir aussi culture, 10, 11 et 12.

**AUTRES** : Voir soins et préparation, 28.

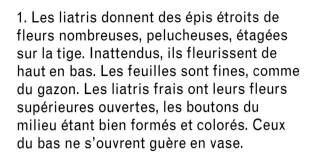

1. Les liatris donnent des épis étroits de fleurs nombreuses, pelucheuses, étagées sur la tige. Inattendus, ils fleurissent de haut en bas. Les feuilles sont fines, comme du gazon. Les liatris frais ont leurs fleurs supérieures ouvertes, les boutons du milieu étant bien formés et colorés. Ceux du bas ne s'ouvrent guère en vase.

2. Les liatris défraîchis sont fleuris à moitié, le haut étant sec et décoloré. Les boutons du bas peuvent aussi être fatigués.

3. Les liatris donnent une touche colorée aux compositions élevées, compte tenu de leur floraison de haut en bas. Ils sont adaptables, aussi bien aux bouquets exotiques qu'aux compositions classiques.

**NOM :** Liatris.

**COULEURS :** Divers pourpres et magenta.

**PARFUM :** Aucun.

**FRAÎCHEUR :** Les boutons supérieurs sont ouverts, ceux du milieu sont bien colorés et fermés.

**DURÉE :** 7 jours et plus.

**DISPONIBILITÉ :** Toute l'année.

**COÛT :** Modéré.

**EN VASE :** Les hauts liatris, frais et solides, donnent une bonne touche colorée aux grandes compositions. Les fleurs ne gênent rien, car elles changent peu et ne se déplacent pas en vieillissant. Ils s'épanouissent de haut en bas, à la différence des autres fleurs élevées qui s'ouvrent de bas en haut, et donnent donc étoffe et couleur instantanément. Ils se marient à merveille avec des fleurs exotiques telles que lis et orchidées aussi bien qu'à des plantes traditionnelles comme les delphiniums et iris.

**CULTURE :** Faciles à cultiver, ce sont de bonnes recrues au jardin, qu'ils colorent en se mêlant bien à des plantes de tous genres. Leurs tiges élevées acceptent soleil et mi-ombre et demandent peu de place. Plantez-les en masses colorées, ou répartissez-les çà et là parmi d'autres fleurs.

**AUTRES :** Les liatris polluent vite l'eau ; retirez sans faute toutes feuilles basales qui tremperaient, et changez l'eau. Voir soins et préparation, 8.

1. Les lilas sont des arbustes rustiques aux denses bouquets de fleurs odorantes. On les coupe ou on les achète entièrement épanouis ou presque. Coupés en bouton, ils ne s'épanouissent pas. Les inflorescences doivent être dressées et fermes.

2. Les lilas vivent peu en vase : leurs fleurs fanent en quelques jours. Vérifiez leur bonne tenue, au toucher si nécessaire.

3. Cette variété inhabituelle s'appelle « Arlequin ».

4. Pour prolonger la vie de vos lilas, gardez les vases pleins d'eau ou changez-la souvent. Ils réagissent bien à l'eau tiède, voire chaude. Trempez-les s'ils font mine de fatiguer. Leur parfum frais et capiteux vaut un effort.

**NOM :** Lilas.

**VARIÉTÉS :** *Syringa vulgaris*, en simple ou double.

**COULEURS :** Divers lavande, pourpres, rose vineux et blanc.

**PARFUM :** Puissant et sucré.

**FRAÎCHEUR :** Les fleurs sont presque toutes ouvertes, ou entrouvertes. Coupées en bouton, elles ne s'ouvrent pas.

**DURÉE :** De 3 à 5 jours, parfois moins.

**DISPONIBILITÉ :** Surtout au printemps, mais on force certains lilas à partir de novembre et durant tout l'hiver. Ils n'ont pas de feuilles, dans ce cas.

**COÛT :** Hiver : élevé. Printemps : modéré.

**SIGNIFICATION :** Le lilas symbolise le premier amour.

**EN VASE :** Les lilas mêlés aux bouquets printaniers y apportent couleur et parfum, mais ils durent mieux, malheureusement, seuls en vase. Voir mise en vase, 8 et 14.

**CULTURE :** Une bonne taille engendre une bonne floraison l'année suivante. Supprimez à la base les épis défleuris. Éliminez également les tiges les plus anciennes, retombantes. Vos arbustes reprendront alors du tonus. Mais ne taillez plus après les premiers jours de juillet. Au-delà, les arbustes n'ont plus le temps de former leurs rameaux à fleurs avant l'hiver.

**AUTRES :** Voir soins et préparation, 5, 6 et 32.

# lis

**1a, b, c.** Les lis portent de grosses fleurs étalées, par deux à cinq ou six sur chaque tige. Les trois espèces les plus répandues sont les : a) Asiatiques ; b) Orientaux ; c) longiflorum.

**2.** Ne négligez pas de retirer les sacs de pollen quand la fleur s'ouvre. Elle durera plus longtemps dans l'espoir d'être enfin fertilisée. Si on les laisse, ils la fécondent et tacheront en outre pétales et meubles. Dès qu'ils gonflent, retirez-les délicatement à la fourchette.

**3.** Frais, un lis n'a que la fleur basale épanouie, les deux ou trois boutons proches étant bien formés et colorés. Leur grande taille les rend fragiles. À l'achat, guettez les éventuelles taches et blessures.

**4.** Les lis avancés sont presque entièrement épanouis. Les pétales sont fripés ou légèrement transparents. Quelques fleurs basales ont pu être retirées ; vérifiez leur nombre.

**5.** Des hybrides tout récents issus de croisements entre longiflorum et Asiatiques, ont vu le jour. Ils allient les tons vifs des Asiatiques à la belle taille des longiflorum.

**NOM :** Lis.

**VARIÉTÉS :** Il existe sept divisions ou types de lis, recouvrant près de 400 variétés. Les trois plus communes sont les Asiatiques, Orientaux et longiflorum.

**COULEURS :** Les Asiatiques revêtent presque tous les tons, excepté le bleu et le noir. Les Orientaux sont surtout blancs, crème et roses. Dans les deux groupes, ils peuvent être unis ou tachetés, rayés ou contrastés à la gorge. Le lis longiflorum est blanc.

**PARFUM :** Les Orientaux sont très parfumés, les longiflorum sont plus discrets et les Asiatiques ne sentent rien.

**FRAÎCHEUR :** Achetez-les ou cueillez-les quand la fleur basale s'épanouit et que les deux ou trois boutons suivants sont bien colorés.

**DURÉE :** 10 jours et plus.

**DISPONIBILITÉ :** Toute l'année, mais plutôt au printemps et en été.

**COÛT :** Orientaux : élevé. Autres : modéré.

**SIGNIFICATION :** Pureté et douceur.

**EN VASE :** Ne les serrez pas en vase, leurs fleurs demandent de la place. Voir mise en vase, 8, 13, 14, 15 et 16.

**CULTURE :** Les lis aiment le soleil, avec les pieds au frais. Plantez-les au soleil de l'après-midi, pour ne pas brûler leurs racines. Voir aussi culture, 12.

**AUTRES :** Les lis n'aiment pas les conservateurs dans l'eau. Voir soins et préparation, 24, 29 et 31.

1. Les lisianthus donnent des fleurs en coupe sur de fines tiges ramifiées, élégantes. On dirait un mélange de coquelicot et d'églantine. Les branches portent d'ordinaire trois à cinq fleurs et plusieurs boutons. Le feuillage, cireux, est gris-vert. Frais, un lisianthus a deux boutons bien établis et deux ou trois fleurs écloses. Elles sont bien colorées, sans taches ou blessures sur les bords. Les pointes des tiges sont légèrement inclinées, mais le reste est bien droit.

2. Les lisianthus avancés montrent des bords décolorés. Les pointes des tiges, molles, sont très courbées.

3. Ne laissez pas d'eau sur les pétales, qui se tachent. Ces plantes craignent aussi l'oïdium.

4. Les lisianthus se marient mal aux autres fleurs. La plante est dense, aux inflorescences ramifiées, et les fleurs semblent étouffées, mêlées à d'autres. Commencez le bouquet avec quelques lisianthus dont vous pincerez les boutons gênants, en ajoutant les autres fleurs. Conservez-les pour les disposer à la base du bouquet.

**NOM** : Lisianthus.

**VARIÉTÉS** : *Eustoma grandiflorum* et ses variétés, simples ou doubles.

**COULEURS** : Blanc, crème, rose, pêche, lavande, pourpre, vert clair, unis ou bicolores.

**PARFUM** : Aucun.

**FRAÎCHEUR** : Deux fleurs seront ouvertes et quelques autres entrouvertes. Guettez taches et blessures éventuelles sur les bords.

**DURÉE** : 7 à 10 jours et plus.

**DISPONIBILITÉ** : Toute l'année.

**COÛT** : Moyen.

**EN VASE** : Les lisianthus peuvent parfois se marier mal aux autres fleurs, en raison de leurs denses tiges ramifiées. Placez-en en vase et éclaircissez-les pour ajouter d'autres fleurs. On peut aussi les diviser pour en faire des bouquets plus courts. Voir mise en vase, 8, 13, 16 et 18.

**AUTRES** : Sensibles aux chocs, les lisianthus craignent également l'eau, qui les tache comme de l'eau de Javel. Voir soins et préparation, 24, 25 et 26.

1. Les millepertuis en fruits forment, sur de minces tiges ligneuses, de belles grappes de baies. Celles-ci doivent être lisses, gonflées, fermes d'apparence. On en trouve des roses, pêche et acajou.

2a, b. Les baies âgées sont fripées et molles. Elles changent aussi de couleur.

3. Les millepertuis donnent un superbe éclat aux bouquets d'automne et d'hiver. Les baies, d'ordinaire, tombent en fanant. Mais celles-ci restent attachées, ce qui est un atout supplémentaire.

**NOM** : Millepertuis.

**VARIÉTÉS** : *Hypericum perforatum.*

**COULEURS** : Les fleurs, petites, sont jaune d'or, mais ce sont surtout les grosses baies brunes, pêche, rose pâle et acajou qu'on utilise.

**PARFUM** : Aucun.

**FRAÎCHEUR** : Les baies, bien gonflées et colorées, sont fermes au toucher.

**DURÉE** : Elles durent de 7 à 10 jours et plus.

**DISPONIBILITÉ** : Toute l'année.

**COÛT** : Modéré.

**PARTICULARITÉ** : Le millepertuis tire son nom de l'aspect de ses feuilles qui, par transparence, semblent comme percées de trous (« pertuis »).

**EN VASE** : Les baies sont agréables à employer en bouquets, car elles restent sur les tiges.

**AUTRES** : Voir soins et préparation, 5 et 6.

1. Les mufliers forment de hauts épis verticaux aux étages de fleurs veloutées dans la partie supérieure. Ils atteignent 50 à 80 cm de haut. Frais, ils sont épanouis à la base, avec des boutons bien formés et colorés au milieu. La pointe est garnie de boutons serrés, verts. Les fleurs sont presque dressées.

2. Avancés, les mufliers ont deux tiers de leurs fleurs ouvertes. Quelques-unes, en bas, sont fanées ou molles. La pointe de la tige se courbe. Nettoyés et recoupés, ils dureront encore quelques jours. Les fleurs, revigorées, prolongeront leur existence.

3. En pressant doucement les côtés d'une fleur, vous comprendrez d'où elle tire son nom. On dirait une gueule ou mufle qui s'ouvre, et se referme une fois relâché. C'est le moyen de protéger le nectar. Le pollinisateur adapté sait comment s'introduire.

4. Vous pouvez pincer les pointes pour faire éclore le reste plus tôt, en vous privant du relief donné par les boutons verts. On a groupé les fleurs, ici, pour former la base du bouquet. Essayez cette formule avec des mufliers recoupés, après que les premières fleurs seront fanées.

**NOMS :** Muflier, gueule-de-loup, gueule-de-lion.

**COULEURS :** Divers blancs, roses, abricot, jaunes, rouges et lie-de-vin. Certains ont une gorge contrastée.

**PARFUM :** Léger ou absent.

**FRAÎCHEUR :** Quelques fleurs sont ouvertes à la base des épis, garnis de boutons formés et colorés. L'ensemble est dressé.

**DISPONIBILITÉ :** Toute l'année, mais surtout au printemps et en été.

**DURÉE :** 10 à 15 jours.

**COÛT :** Modéré.

**SIGNIFICATION :** Présomption.

**EN VASE :** On suggère parfois de couper la pointe pour une meilleure éclosion. Mais les pointes sont intéressantes pour leurs couleurs et reliefs. Voir mise en vase 12, 13, 15 et 16.

**CULTURE :** Une seule tige peut se transformer en buisson par « pincement ». Quand la tige atteint 5 à 10 cm de haut, rabattez-la court. Elle émettra plusieurs nouvelles tiges. Voir culture, 17.

**AUTRES :** Voir soins et préparation, 8, 24, 32, 34 et 35.

1. Le muguet produit une tige unique aux petites clochettes pendantes. Elle est accompagnée de longues feuilles pointues, vert foncé. Les fleurs sont cueillies ou achetées presque entièrement épanouies, avec quelques boutons. Le parfum puissant est agréable.

2. Le muguet âgé a des fleurs sèches et brunies sur le bord. Le parfum est estompé à absent.

3. Les tiges de muguet sont engainées dans la base des feuilles. Séparez-les doucement et recoupez leur base avant la mise à l'eau. Les fleurs tiendront plus longtemps.

4. Le parfum du muguet est si fort qu'il peut emplir une pièce. Placez-en sur un chevet, un bureau. Cette odeur printanière permet de rêver.

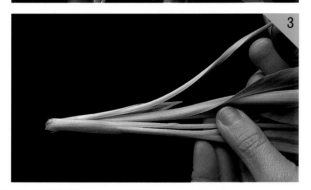

**NOM** : Muguet.

**VARIÉTÉS** : La forme simple est la plus répandue, mais il en existe une double.

**COULEURS** : Le blanc, parfois le rose pâle.

**PARFUM** : Très marqué. Quelques fleurs suffisent à parfumer une pièce.

**FRAÎCHEUR** : La plupart des clochettes sont ouvertes ; il reste quelques boutons. S'il n'y a que des boutons, ils ne s'ouvriront pas.

**DURÉE** : 4 à 5 jours.

**DISPONIBILITÉ** : Le muguet fleurit brièvement au printemps, en mai. On trouve parfois des plants forcés en hiver.

**COÛT** : Printemps : modéré. Hiver : très élevé.

**SIGNIFICATION** : Bonheur, ou retour du bonheur. Il est souvent associé à la fête du 1er mai.

**EN VASE** : Juste quelques brins sur votre table de chevet vous feront rêver. Voir aussi mise en vase, 8.

**CULTURE** : Le muguet préfère les endroits ombragés du jardin, qui s'apparentent le plus aux sous-bois de feuillus. Il demande quelques années pour s'établir et bien fleurir. Il mérite l'attente. Une fois en place, il prospère et croît chaque année. Voir culture, 10, 11 et 12.

**AUTRES** : Voir soins et préparation, 34.

1. Les myosotis ordinaires poussent dans les fondrières et les mares. Imitez cet environnement après la cueillette ou l'achat, en les trempant dans l'eau froide. Les fleurs et tiges seront tonifiées avant l'emploi en bouquets. S'ils s'amollissent en quelques jours, raffermissez-les par cette méthode.

2. Les myosotis sont de petites fleurs bleu ciel à cœur jaune, épanouies en grappes légères sur des tiges vertes charnues. Frais, ils n'ont que quelques fleurs épanouies, et de nombreux boutons.

3. Sur les myosotis avancés, toutes les fleurs sont ouvertes ; certaines ont séché. Elles tombent aisément en bougeant.

4. Pour le comble du romantisme, associez des roses rouge foncé et des myosotis bleu vif.

**NOM :** Myosotis.

**VARIÉTÉS :** Il existe environ 50 espèces dont *Myosotis silvatica.*

**COULEURS :** Bleu vif à cœur or. On en trouve parfois de roses ou blancs.

**PARFUM :** Aucun.

**FRAÎCHEUR :** Cueillez ou achetez des tiges peu épanouies. Les fleurs ne tombent pas en bougeant.

**DURÉE :** Frais et bien préparés, ils tiennent 5 à 7 jours et plus.

**DISPONIBILITÉ :** De mars à mai.

**COÛT :** Bon marché.

**SIGNIFICATION :** Ne m'oubliez pas ! C'est le symbole de l'amour sincère.

**EN VASE :** Ces fleurs aiment l'eau profonde ; tassez-les à la base des bouquets, près de l'eau. Voir mise en vase, 12.

**CULTURE :** Une fois installés, les myosotis demandent peu de soins et se propagent vite. Ils aiment un peu d'ombre et un sol frais. Plantez-les au pied des arbres où ils formeront un superbe tapis bleu. C'est également un beau fond pour des bulbes printaniers. Le bleu vif souligne leurs fleurs et cache le feuillage après fanaison.

narcisse

1. Il existe de nombreuses variétés de narcisses. Leurs fleurs sont solitaires ou en bouquet, à cœur grand ou petit, fendu ou double, et à pétales étalés ou récurvés. Elles sont unies ou diversement bicolores.

2. On les cueille ou on les achète en bouton. Celui-ci doit être bien coloré, avec une trace de vert. Ils s'ouvrent aisément.

3. Avancés, les narcisses se fripent et se décolorent. Soyez attentif, lors de l'achat.

4. En fin d'année, on trouve des narcisses à bouquets, blancs. Le plus répandu est « Totus Albus », très parfumé. Très proche, « Paperwhite » est un peu moins odorant.

5. Pour la cueillette, ne tranchez pas : pincez-les entre les doigts. La tige sera partiellement obturée et la sève caustique contaminera moins l'eau. Les fleurs dureront plus longtemps et pourront se mêler à d'autres. Ne cueillez pas les feuilles, qui alimentent le bulbe.

**NOMS** : Narcisse, Jonquille (pour les formes à grosses fleurs).

**VARIÉTÉS** : Il en existe des milliers, divisées en 11 sections suivant la forme des fleurs. Voir photo 1.

**COULEURS** : La grosse jonquille jaune est la plus répandue. On trouve tous les jaunes et le blanc, mais aussi le vert, l'orange, l'abricot, et le rose.

**PARFUM** : Beaucoup de variétés ont un parfum frais, mais certaines, telle « Totus Albus », sont entêtantes.

**FRAÎCHEUR** : Tous doivent être cueillis ou achetés en bouton. Les formes « en bouquet » auront une ou deux fleurs ouvertes.

**DURÉE** : 3 à 5 jours, parfois moins.

**DISPONIBILITÉ** : On trouve narcisses et jonquilles en hiver et au printemps et les formes à bouquet, blanches, en potées, vers Noël. Les bulbes pour le jardin ou le forçage sont disponibles en automne.

**COÛT** : Hiver : moyen. Printemps : bon marché.

**EN VASE** : Sans traitement, mieux vaut les employer seuls. Voir aussi soins et préparation, 28.

**CULTURE** : Mêlez les narcisses à d'autres plantes. Bulbes et fleurs, toxiques, éloigneront les animaux gourmands. En les cueillant, épargnez le feuillage ; laissez-le mûrir seul, pour qu'il fournisse des réserves au bulbe. Voir culture, 10, 11 et 12.

1. Les nérines portent un bouquet de cinq à six fleurs étoilées aux pétales récurvés, sur une tige nue, vert foncé, élégante. Fraîches, leurs fleurs commencent à se détacher au cœur seulement.

2. Plus âgées, elles sont très ouvertes, avec des pointes transparentes et décolorées.

3. Les nérines, à la taille près, rappellent les lis par leur aspect, leur forme et leur matière. Elles donnent des compositions exotiques mais aériennes.

**NOMS** : Nérine, Lis de Guernesey.

**VARIÉTÉS** : *Nerine Bowdenii* est la plus répandue. On trouve parfois *Nerine sarniensis* et *Nerine undulata*.

**COULEURS** : Le rose vif, surtout, et plus rarement les blanc, crème, orange, pêche et cramoisi.

**PARFUM** : Odeur épicée légère.

**FRAÎCHEUR** : Les inflorescences s'entrouvrent, les boutons étant bien fermés.

**DURÉE** : 7 jours et plus.

**DISPONIBILITÉ** : Automne et hiver.

**COÛT** : Moyen.

**PARTICULARITÉ** : Échouées, pense-t-on, sur les plages de Guernesey, elles ont conquis l'île, d'où leur surnom.

**EN VASE** : Chatoyantes, denses, les nérines semblent givrées. Elles sont superbes avec leur feuillage d'hiver, pour les fêtes en particulier. Voir mise en vase, 13.

**CULTURE** : Mieux vaut les cultiver en pot, où l'on peut les serrer sans crainte et sans avoir à les diviser avant longtemps. Sensibles au froid, les nérines doivent être abritées pour l'hiver.

# œillet

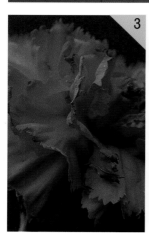

1. Les œillets produisent des inflorescences serrées aux nombreux pétales frisés, grandes et isolées, ou petites et en bouquets.

2. Un œillet frais est à peine ouvert, et les formes en bouquet, miniatures, n'ont que quelques fleurons épanouis.

3. Les œillets avancés sont pleinement ouverts, avec les pétales externes récurvés. Le bord est parfois décoloré et desséché.

4. Cette variété est dite « œillet de poète ». On la trouve au printemps et en été, en rouge, rose et blanc. Elle est appréciée au jardin comme en bouquet, où elle dure longtemps.

5. Les gros œillets coupés court et regroupés évoquent des roses anciennes, ou des pivoines.

**NOM :** Œillet.

**VARIÉTÉS :** Il existe plus de 300 espèces d'œillets et des centaines de variétés. Les œillets communs chez les fleuristes sont « de Nice », à grosses fleurs isolées, ou « Chabaud », en bouquets de fleurs réduites.

**COULEURS :** On trouve une gamme immense de couleurs et nuances. Certaines sont bigarrées ou bicolores. Les tons les plus communs sont le rouge, le rose, le blanc et le pourpre.

**PARFUM :** Certains ont un parfum épicé marqué.

**FRAÎCHEUR :** Les fleurs sont entrouvertes ; les formes en bouquet ont quelques fleurs ouvertes, le reste en bouton.

**DURÉE :** 10 à 15 jours, voire plus. Bien qu'ils durent, les œillets cassent aisément. Prudence en les manipulant.

**DISPONIBILITÉ :** Toute l'année.

**COÛT :** Faible.

**SIGNIFICATION :** L'œillet rose est symbole d'amour éternel. D'autres couleurs ont leur propre sens : jaune pour le mépris, pourpre pour l'inimitié, panaché pour le refus. Le blanc va à l'amour ardent et le rouge aux peines de cœur.

**EN VASE :** Bon marché et durables, les œillets devraient être populaires. Mais ils sont mal employés par beaucoup. On peut les travailler pour leur donner du chic, en les assemblant par exemple en bottes comme sur la photo 5, ou encore en les associant à un feuillage (voir photo 4, p. 68). Ce sont des compléments peu coûteux pour des bouquets variés. Voir mise en vase, 12.

**AUTRES :** Voir soins et préparation, 25 et 26.

1 (page de droite). Il existe des milliers d'espèces d'orchidées, de diverses formes et tailles.

2a, b, c, d. Les plus répandues sont : a) les cymbidiums ; b) les dendrobiums ; c) les oncidiums ; d) les phalaenopsis. Ces derniers sont les meilleurs, comme plantes d'intérieur.

3. Choisissez vos orchidées en fonction de leur taille et de leur couleur. Prenez de grosses fleurs, proportionnées à leur tige. La plupart doivent être épanouies, les boutons de beaucoup ne s'ouvrant guère en vase. Les orchidées se meurtrissent aisément. Examinez-les bien avant l'achat.

4a. Les boutons des orchidées avancées ont une pointe jaune ou fripée.

4b. Quelques fleurs de base peuvent aussi être décolorées, fripées ou transparentes.

5. Dans la nature, les orchidées ancrent souvent leurs racines par-dessus leur support. En pot, veillez à ce que celles-ci restent apparentes, pour recevoir air et humidité.

6. Les orchidées se prêtent à de nombreuses combinaisons raffinées, où elles se marient à d'autres fleurs structurées, ou bien encore à des compagnes plus rustiques, telles ces ombellifères.

**NOM :** Orchidée.

**VARIÉTÉS :** Il existe plus de 30 000 espèces d'orchidées. Les plus répandues en culture et en bouquets sont les cymbidiums, les dendrobiums, les oncidiums et les phalaenopsis.

**COULEURS :** Toutes, excepté le bleu pur. Elles sont parfois unies, mais plus souvent bigarrées, avec des taches ou rayures soulignant leur cœur.

**PARFUM :** Présent chez certaines, tels les cymbidiums.

**FRAÎCHEUR :** Les fleurs sont presque toutes ouvertes, ou entrouvertes. Coupées trop jeunes, elles n'éclosent pas.

**DURÉE :** Environ 7 jours, parfois 15 pour certaines.

**DISPONIBILITÉ :** Toute l'année.

**COÛT :** Moyen à élevé, suivant l'espèce. Les cymbidiums et phalaenopsis sont les plus coûteux.

**SIGNIFICATION :** Beauté.

**EN VASE :** Les orchidées sont malléables, apportant une touche exotique à tout bouquet. Leur incroyable gamme de couleurs et leur grande longévité les rendent bienvenues en vase. Les longues tiges et les espèces à nombreuses fleurs peuvent être coupées, en deux ou trois. Voir Delphinium, photo 4, page 80.

**CULTURE :** Nombre d'espèces aiment le soleil, la chaleur et une forte hygrométrie, mais d'autres préfèrent une lumière tamisée et moins de chaleur. C'est le cas des phalaenopsis, adaptables en appartement moyen. Plantez-les dans de l'écorce, des graviers ou de la mousse et placez-les en lumière indirecte ; les bords de leurs feuilles brûlent au soleil. Arrosez-les une fois par semaine en les trempant, laissez-les égoutter. Pour obtenir une forte hygrométrie, bassinez-les souvent et placez les pots sur des graviers humides. Éventuellement, placez quelques glaçons sur l'écorce. En fondant, ils baigneront et rafraîchiront les racines. Voir aussi culture, 4 et 5.

**AUTRES :** Le bassinage fréquent des fleurs coupées prolonge leur vie. Voir aussi soins et préparation, 24, 29 et 34.

1a, b, c. Les ornithogales portent des bouquets serrés de fleurs en étoile sur une mince tige nue. Leurs têtes peuvent être pyramidales, comme chez les espèces thyrsoides (a) et dubium (b), ou arrondies, comme chez arabicum (c).

2. Chez les ornithogales frais, seules quelques fleurs du pourtour de la base sont ouvertes, entourées de boutons bien formés. Le cœur, vert, est serré. Tous s'épanouissent en vase.

3. Les tiges âgées sont presque entièrement épanouies ; il y a peu de boutons. Elles tiendront encore bien, cependant.

4. En raison de leur longue durée, les ornithogales sont excellents en vase. Frais, bien boutonnés, ils apportent de la matière aux bouquets mélangés. Quand la tête vieillit et s'aère, on peut détacher les fleurons pour les employer seuls, ou dans une composition différente. On emploie cette fleur jusqu'à trois fois dans des combinaisons diverses.

**NOM :** Ornithogale.

**VARIÉTÉS :** *Ornithogalum thyrsoides* et *Ornithogalum dubium*, en cône, et *Ornithogalum arabicum*, à tête ronde.

**COULEURS :** Les thyrsoides et arabicum sont blancs ou crème, avec un cœur vert foncé pour le dernier. Le jaune et l'orange sont l'apanage de dubium.

**PARFUM :** Léger, chez arabicum.

**FRAÎCHEUR :** Quelques fleurs de base sont ouvertes, avec quelques boutons avancés.

**DURÉE :** 2 semaines et plus.

**DISPONIBILITÉ :** Toute l'année, mais surtout en hiver et au printemps. Arabicum est une variété essentiellement estivale.

**COÛT :** Moyen.

**EN VASE :** On peut les remployer au cours de leur longue vie, avec un effet différent, dans des compositions variées. Voir mise en vase, 13, 15, 16 et 17.

**AUTRES :** Voir soins et préparation, 24 et 35.

# pavot

1a, b. Les pavots ont des fleurs en coupe aux pétales soyeux, chiffonnés, portées par de minces tiges effilées issues d'un feuillage découpé. Les pavots d'Orient (a), robustes et élevés, sont fréquemment marqués de noir au cœur ; ceux d'Islande (b), plus réduits, ont un cœur uni.

2. Achetez ou cueillez des pavots en bouton, mais dont la couleur pointe déjà. L'enveloppe tombera sous la poussée des fleurs. Les gros boutons gonflés peuvent être délicatement pelés pour accélérer l'épanouissement. Les boutons trop fermés n'éclosent pas.

3. Avancés, les pavots sont épanouis, avec un cœur riche en pollen. Le bord des pétales est souvent brun ou décoloré. Transparents, ils peuvent tomber au moindre choc ou mouvement.

4. Les capsules ou cœur des fleurs sont intéressants, frais ou secs, en bouquets. Videz bien les capsules mûres de leurs graines.

5. Les pavots apportent dans les bouquets éclat, parfum et matière. Les boutons, glissés dans ce bouquet de roses, donnent une touche insolite.

 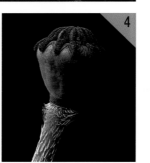

**NOM :** Pavot.

**VARIÉTÉS :** Pavot d'Orient et pavots d'Islande. La plupart sont à fleurs simples, parfois demi-doubles.

**COULEURS :** Blanc, jaune, rose et orange chez les pavots d'Islande ; surtout orange et rouge, parfois blanc et rose chez les pavots d'Orient.

**PARFUM :** Frais, discret.

**FRAÎCHEUR :** Achetez ou cueillez des boutons montrant déjà leur couleur.

**DURÉE :** De 3 à 5 jours. Il faut cautériser la coupe et la placer dans l'eau chaude. Voir soins et préparation, 27.

**DISPONIBILITÉ :** Fin du printemps pour ceux d'Orient ; printemps et été pour ceux d'Islande.

**COÛT :** Moyen.

**SIGNIFICATION :** Consolation.

**PARTICULARITÉ :** Les pavots sont souvent liés au sommeil ; l'opium est extrait des capsules d'une espèce annuelle. Deux dérivés, la codéine et la morphine, sont analgésiques. On emploie aussi les graines, grillées, en cuisine, surtout en pâtisserie. Elles ne présentent aucun danger.

**EN VASE :** À tous les stades, ils pimentent un bouquet. Voir mise en vase, 16.

**AUTRES :** Les tiges spongieuses des pavots se décomposent vite dans l'eau, qu'elles polluent. Changez souvent cette dernière. Voir aussi soins et préparation, 31, et culture, 20.

134

1

2

1. Les pélargoniums les plus communs sont du type zonale. Ils garnissent, l'été, pots et jardinières. Ils produisent de gros bouquets de petites fleurs, sur des tiges ramifiées. Les feuilles sont rondes et barrées de vert foncé.

2. Les pélargoniums Regale, différents, sont surtout cultivés en pot. Leurs fleurs, plus grandes, sont bicolores ou rayées sur les pétales. Pour bien fleurir, il leur faut de la fraîcheur, à la différence de leurs frères. Cultivez-les donc à l'intérieur, sur une fenêtre ensoleillée où la température ne dépassera pas 15 °C.

3. Les pélargoniums à parfum sont cultivés pour leur feuillage odorant. Leurs fleurs sont peu spectaculaires, mais leurs parfums sont variés ; ils se développent quand on les froisse. Ils servent dans les pots-pourris et en cuisine.

4. Surtout cultivés au jardin, les pélargoniums font de ravissants bouquets d'été, colorés, parfumés et durables. Les espèces odorantes offriront leur feuillage aux compositions, mêlé à des fleurs inodores. Ils sont à associer à des renoncules.

3

4

**NOMS** : Pélargonium, Géranium des fleuristes.

**VARIÉTÉS** : Zonale (photo 1) ; Regale (photo 2) ; pélargonium à parfum (photo 3).

**COULEURS** : Blanc, divers roses, pêche et rouge. Certaines couleurs, très brillantes, semblent fluorescentes. Les Regale ont des pétales bicolores ou striés

**PARFUM** : Très fort parfum musqué. Les espèces à parfum peuvent sentir le citron, la rose, la muscade, voire le chocolat.

**FRAÎCHEUR** : Quelques fleurs sont ouvertes, avec de nombreux boutons bien colorés.

**DURÉE** : 10 à 15 jours et plus.

**DISPONIBILITÉ** : Été.

**COÛT** : Faible.

**EN VASE** : On peut les introduire dans les bouquets d'été où ils apporteront parfum et vives couleurs. Ils durent longtemps. Employez les formes odorantes comme substitut de feuillage, avec des fleurs sans parfum. Voir mise en vase, 16.

**CULTURE** : Les pélargoniums, faciles à cultiver et longuement fleuris, font des potées populaires. Ils sont également aisés à hiverner d'une année à l'autre. Rentrez les pots à l'intérieur, à faible lumière et à 12-15 °C. Rabattez-les de moitié au moins. Arrosez peu. Au printemps, placez-les au chaud et à la lumière, et arrosez bien. Ils repartiront pour une saison.

**AUTRES** : Voir soins et préparation, 24.

1. Les phlox forment de gros bouquets de fleurs rondes parfumées sur des tiges ramifiées. Frais, ils ont éclos les deux tiers de leurs fleurs, les boutons restants étant colorés et formés. Trop verts, ces derniers ne s'ouvrent pas.

2. Avancés, les phlox sont entièrement éclos et beaucoup de fleurs sont parties. Plus tard encore, elles tombent dès qu'on y touche.

3. Avec leurs grandes têtes odorantes, les phlox font bel effet ajoutés à un bouquet de fleurs spectaculaires telles que roses et pivoines.

**NOM** : Phlox.

**VARIÉTÉ** : *Phlox paniculata*.

**COULEURS** : Divers blancs, roses, pourpres, rouges et orange, à cœur parfois contrasté.

**PARFUM** : Sucré, très doux.

**FRAÎCHEUR** : Achetez ou cueillez des têtes fleuries aux deux tiers, et aux boutons gonflés et colorés.

**DURÉE** : 10 jours et plus.

**DISPONIBILITÉ** : Été.

**COÛT** : Moyen.

**SIGNIFICATION** : Accord.

**EN VASE** : Avec leurs grosses têtes florales, les phlox peuvent prendre la vedette dans un bouquet, ou souligner d'autres fleurs spectaculaires. Voir mise en vase, 12, 13 et 14.

**CULTURE** : Les phlox sont faciles. Veillez bien cependant à supprimer les fleurs fanées, leurs graines donnant des plantes inégales, et parfois envahissantes. Ils attirent les papillons.

**AUTRES** : Voir soins et préparation, 24.

1. Les pivoines sont de grosses fleurs géné-reuses, simples, demi-doubles ou, plus souvent, doubles, comme ici. Ces formes ont vu le jour chez nous il y a cent ans. Elles peuvent mesurer 15 cm de diamètre.

2. Pour être fraîche, une pivoine doit être cueillie ou achetée en bouton, quand celui-ci, d'environ la taille d'une balle de tennis, est souple sous les doigts, comme on choisit une pêche. Les boutons trop serrés ne se développeront sans doute pas. Au bon stade, les pivoines sont excellentes en vase.

3. Les pivoines avancées sont très ouvertes et récurvées. Les fleurs, molles et décolorées sur l'extérieur. Déplacées, elles tombent ou s'effeuillent.

4. Les fortes pousses printanières des pivoines ne laissent pas deviner le gros buisson qu'elles deviennent. Elles disparaissent en hiver et repoussent au printemps.

5. Faire des bouquets de pivoines est facile. Quelques-unes suffisent à garnir un vase ou compléter un bouquet.

**NOM** : Pivoine.

**VARIÉTÉS** : Les formes herbacées simples, demi-doubles et doubles.

**COULEURS** : Tons de blanc, crème, pêche et rose, jusqu'au cramoisi. Certaines variétés sont multico-lores, à onglets contrastés au cœur.

**PARFUM** : Suivant la variété, absent, capiteux ou fruité.

**FRAÎCHEUR** : Achetez ou cueillez les fleurs en bouton. Voir photo 2.

**DURÉE** : 7 à 10 jours ou plus.

**DISPONIBILITÉ** : Au printemps seulement, quoiqu'il en vienne des antipodes durant l'hiver.

**COÛTS** : Printemps : moyen. Hiver : élevé.

**SIGNIFICATION** : Modestie.

**EN VASE** : Avec des fleurs de 10-15 cm de large, les pivoines sont un bouquet à elles seules. Voir mise en vase, 8, 13 et 14.

**CULTURE** : Pour avoir de belles fleurs, achetez des souches dotées de 3 à 5 yeux. Avec 1 ou 2 yeux seulement, il leur faut des années pour fleurir. Voir photo 4. Ne les plantez surtout pas trop profond, sinon elles ne feront que des feuilles. Couvrez les yeux de 10 cm de terre au plus. Bien qu'elles sup-portent un peu d'ombre, plantez-les de préférence au plein soleil, loin des arbres et arbustes, qui prendraient tous les engrais. La floraison s'étend sur peu de semaines. Choisissez donc des variétés de début, milieu et fin de saison. Ne cueillez pas plus d'un tiers des fleurs pour ne pas choquer les plantes et entraver la pousse suivante. Soyez patient ; il leur faut souvent de trois à cinq ans pour s'établir. Mais une fois en place, c'est pour toujours.

**AUTRES** : Voir soins et préparation, 31, 32 et 34.

1. Les pois de senteur sont des lianes aux tiges florales dotées de cinq à six fleurs délicates, ondulées. Seules celles du bas doivent être ouvertes, au moment de l'achat, le reste étant déjà bien coloré.

2. Pour cueillir les pois de senteur, coupez-les au ras de la tige principale. Les fleurs dureront plus longtemps.

3. Les pois de senteur sont fragiles. Vérifiez bien qu'ils ne sont ni froissés ni décolorés, avant achat.

4. Avec leurs ondulations, leur parfum et leurs vives couleurs, les pois de senteur donnent une délicieuse touche surannée à tout bouquet. Pour avoir un aspect plus rustique, garnissez la base avec leur feuillage.

**NOM** : Pois de senteur.

**COULEURS** : Blanc, crème, rose, saumon, lavande, pourpre et rouge. On en trouve de bicolores et panachés.

**PARFUM** : Très intense et sucré, mais rare chez les formes modernes.

**FRAÎCHEUR** : Quelques fleurs épanouies à la base, et de gros boutons sur le reste de la tige.

**DURÉE** : 3 à 5 jours.

**DISPONIBILITÉ** : Hiver et printemps, parfois été et climat frais.

**COÛT** : Moyen en hiver ; modeste au printemps.

**SIGNIFICATION** : Départ.

**PARTICULARITÉ** : Fleurs et graines sont toxiques.

**EN VASE** : Ces fleurs surannées aux délicats pétales ondulés, parfumés et colorés peuvent servir seules ou ajouter de l'élégance à toute composition. Voir mise en vase 1, 8 et 12.

**CULTURE** : Plus vous les couperez, plus ils refleuriront. Faites tremper les graines 24 heures avant le semis. Pour bien fleurir, ils aiment les jours chauds et les nuits fraîches. Voir culture, 20.

**AUTRES** : Voir soins et préparation, 24 et 26.

1. Les quarantaines produisent des épis trapus de fleurs odorantes simples ou doubles. Fraîches, elles sont épanouies au tiers ou à la moitié, les boutons étant bien formés et colorés.

2. Passées, leur tiers inférieur est fané et mou. Ces fleurs seront parfois enlevées, pour ne laisser que le milieu et le haut. Vérifiez le nombre de fleurs pour vous assurer de la fraîcheur. Il doit y avoir au moins six étages de fleurs.

3. Ce sont de bonnes fleurs pour la base d'un bouquet, les plus basses fanant les premières. Commencez par un fond de quarantaines en ajoutant par place d'autres espèces qui cacheront les fleurs défraîchies tout en laissant visibles celles du milieu. Les quarantaines constituent également un bon apport parfumé.

**NOMS** : Quarantaine, Giroflée de Nice.

**COULEURS** : Tons pastel en blanc, rose, abricot et jaune, surtout, mais aussi rose foncé et pourpre.

**PARFUM** : Puissant parfum épicé.

**FRAÎCHEUR** : Un tiers à la moitié environ de l'épi sont fleuris, les boutons bien formés étant colorés.

**DURÉE** : 3 à 5 jours.

**DISPONIBILITÉ** : Toute l'année, mais surtout hiver et printemps.

**COÛT** : Moyen.

**SIGNIFICATION** : Beauté durable.

**EN VASE** : Employez cette délicieuse fleur odorante comme base, les autres fleurs cachant leurs fleurons vite passés. Les centres denses seront bienvenus dans de nombreuses compositions, leurs coussins solides soulignant d'autres grosses fleurs et les soutenant. Voir également mise en vase 12, 13, 14 et 15.

**AUTRES** : Les tiges très denses de ces giroflées boivent mal et les fleurs vivent peu. S'il reste un peu de la base blanche, fibreuse et dure, coupez-la avant la mise en vase. Le duvet qui les couvre pollue vite l'eau et abrège aussi la vie des fleurs. Changez souvent l'eau et recoupez les bases.
Voir aussi soins et préparation, 4, 8, 24 et 32.

1a, b. Les renoncules donnent des fleurs en coupe rappelant les pivoines ou camellias. Elles comportent de nombreuses couches de pétales soyeux. Chaque tige en porte plusieurs, dominant un fin feuillage découpé. On en trouve de simples (a) ou doubles (b).

2. Achetez ou cueillez des renoncules écloses, mais encore serrées au cœur. Elles doivent être fermes, sans tomber quand on y touche.

3. Les renoncules avancées sont plus ouvertes au cœur. Leurs pétales deviennent fades et transparents. Molles, les fleurs s'effeuillent au toucher.

4. Les tiges des renoncules, minces et creuses, se cassent aisément, rendant malaisées les compositions. Tentez de les entourer d'un fil de fer, ou même de le glisser dans la tige. Elles penchent égale-ment sous le poids de leurs lourdes fleurs. Là encore, le fil de fer sera utile.

5. Les formes liserées sont devenues à la mode récemment.

**NOM :** Renoncule.

**VARIÉTÉS :** *Ranunculus asiaticus* et ses hybrides, simples ou doubles. Les meilleures actuellement appartiennent à la race Tecolate.

**COULEURS :** La plupart des tons, excepté le bleu et le noir, sont présents. Les cœurs sont noirs ou jaunes. Certaines variétés sont bicolores ou rayées. Voir photo 5.

**PARFUM :** Doux, discret.

**FRAÎCHEUR :** Achetez ou cueillez des fleurs à peine ouvertes, au cœur serré.

**DURÉE :** 7 à 10 jours et plus.

**DISPONIBILITÉ :** En hiver, et surtout au prin-temps.

**COÛT :** Au printemps : moyen. En hiver : un peu élevé.

**SIGNIFICATION :** Vous êtes radieux(se) !

**EN VASE :** Leurs tiges cassantes les rendent peu manipulables. Voir mise en vase, 12, 13, 16, 17, 18 et 19.

**CULTURE :** Faites tremper les griffes des renoncules durant quatre heures au moins avant la plantation pour les aider à démarrer. Elles évoquent des griffes ; plantez-les pointes en bas. Les renoncules aiment les nuits fraîches et les journées chaudes, très lumineuses. On peut les cultiver au jardin ou en pots.

**AUTRES :** Les renoncules sont grosses buveuses : vérifiez bien le niveau d'eau. Voir soins et préparation, 31, 32, 34 et 35.

1a

1b

1c

1d

2

1a, b, c, d. Les roses, avec leurs nombreux pétales serrés parfumés, ont toujours été très populaires. Il en existe des centaines de formes et de variétés, tant pour le jardin que pour les bouquets. Quelques classiques sont : a) la rose-thé traditionnelle, très appréciée en bouquet, aux fleurs moyennes à grandes bien formées et aux longues tiges ; b) les roses anciennes, de type rose-chou, plus gracieuses et parfumées que celles du commerce ; c) les roses miniatures, de 3 cm de large seulement ; d) les roses en bouquet aux nombreuses fleurs sur une tige.

2. Les roses sont produites en telles quantités que vous devez bien examiner leurs fleurs avant l'achat. Forme et taille du bouton indiquent s'il s'ouvrira bien. Celui de gauche a été cueilli trop tôt : pointu, il est dur au toucher. Nombre de gens les préfèrent ainsi, pensant à tort obtenir un produit plus frais et de longue durée. Très fermés, les pétales n'offrent aucun signe d'éclosion. Des roses de mauvaise qualité, cueillies ainsi, finissent par piquer du nez. La fleur de droite, de jolie forme, présente des pétales déroulés et ceux du cœur fermés. Elle est assez ferme au toucher et on sent de nombreux pétales à venir.

3a

3b

**3a, b.** Les roses âgées sont très ouvertes. Le cœur est visible et les pétales externes sont roussis ou décolorés. L'ensemble est lâche. Parfois fraîches d'aspect, certaines fleurs sont molles, en fait. Vérifiez avant d'acheter.

**4.** Les roses sont traditionnellement accompagnées de garnitures diverses et de feuillages tropicaux, qui cachent leur beauté. Nombre de gens retirent les pétales externes abîmés, ce qui déséquilibre la fleur quand elle s'ouvre. Laissez la rose, telle quelle, s'ouvrir naturellement. Le bouquet aura l'air plus champêtre.

**5.** Des roses saines disposées sans artifice donneront le plus bel effet.

4

5

**NOM** : Rose.

**VARIÉTÉS** : Il en existe une quantité prodigieuse et il se crée sans cesse de nouveaux cultivars entre les mains des horticulteurs. Voir photo 1a à 1d, pour les formes les plus connues.

**COULEURS** : On trouve la plupart des tons, sauf le vrai bleu. Elles peuvent être bicolores, multicolores, rayées, etc.

**PARFUM** : Réputées très parfumées, les roses sont pourtant souvent inodores dans les variétés à couper. Celles du jardin et les roses anciennes sont en revanche souvent très odorantes, finement ou capiteusement.

**FRAÎCHEUR** : Achetez ou cueillez des boutons entrouverts. Le cœur doit être ferme et encore serré.

**DURÉE** : 5 jours et plus. Les formes anciennes sont plus fugitives. On les emploie souvent bien écloses pour des occasions particulières telles que les mariages, mais leur durée est alors limitée. Essayez de les bassiner souvent pour les rafraîchir et les prolonger de deux jours.

**DISPONIBILITÉ** : Toute l'année pour les roses-thé ; l'été pour celles de jardin.

**COÛT** : Pour la plupart, modéré. Pour celles de jardin, de modéré à élevé.

**SIGNIFICATION** : Rouge pour l'amour, rose pour le bonheur, blanc pour le silence et l'innocence, jaune pour la jalousie.

**EN VASE** : On défigure souvent les roses pour en faire des sujets raides et artificiels. Gardez-leur un aspect naturel en conservant les pétales externes et en employant leur propre feuillage : les bouquets seront spontanés. Voir mise en vase, 8, 11, 13, 18 et 19.

**CULTURE** : Vu le nombre de formes différentes, renseignez-vous sur le mode de culture de votre rosier. La règle générale est de le planter dans un endroit le plus ensoleillé possible. Les rosiers sont sensibles à l'oïdium. Le soleil, surtout du matin, chassera l'humidité et limitera le problème. Une bonne taille est capitale pour de belles floraisons. Retirez les vieux bois au printemps, pour avoir des pousses estivales florifères.

**AUTRES** : Voir soins et préparation, 4, 7, 8, 26, 31, 32 et 34.

1a, b, c. Les tournesols produisent de belles fleurs rayonnantes à gros cœur rond. Les plus communs ont des pétales or vif et un cœur brun (a). Également appréciées sont les formes doubles ou en pompon (b) et plus réduites, à couleurs fauves (c). Les tournesols peuvent atteindre 3 m de haut.

2. Achetez ou cueillez des tournesols épanouis aux trois quarts ou pleinement. Les pétales doivent être dressés et bien fermes. Le cœur est le meilleur indice de fraîcheur : il est libre de pollen. En vieillissant, les tournesols produisent un abondant pollen jaune. De nouvelles variétés, qui en ont moins, durent plus longtemps.

3. Des tournesols âgés sont très ouverts avec des pétales retombants. Mous, ceux-ci sont froissés et peuvent tomber. Le cœur est plein de pollen.

4. Si les pétales sont abîmés ou fanés, retirez-les et employez le cœur vert ou brun comme élément pittoresque.

**NOMS** : Tournesol, Soleil.

**VARIÉTÉS** : Il y en a plus de cent. *Helianthus annuus* (celui des champs) est le plus répandu, en simple ou double.

**COULEURS** : Tous les tons de jaune, du citron pâle à l'or, sont les plus usuels. Il existe quelques variétés rouille ou brunes. Les cœurs sont bruns ou verts.

**PARFUM** : Suave, discret.

**FRAÎCHEUR** : Ils sont ouverts aux trois quarts ou complètement, avec des pétales dressés, fermes. Le cœur est net de pollen. La tige raide est dressée.

**DURÉE** : Environ 5 jours. Les grosses feuilles peuvent faner vite après la coupe. Retirez-les si nécessaire, ce qui prolonge la vie des fleurs.

**DISPONIBILITÉ** : Surtout l'été, mais aussi au printemps et en automne.

**COÛT** : Moyen.

**SIGNIFICATION** : Fierté.

**PARTICULARITÉ** : Les tournesols ont une forte importance économique. Ils fournissent de l'huile, des graines, des teintures, des cosmétiques, etc.

**EN VASE** : Quand les pétales fanent, retirez-les et employez les cœurs comme éléments pittoresques. Voir mise en vase, 8, 14 et 17.

**CULTURE** : Semez-les très tôt à l'abri : il leur faut trois à quatre mois pour fleurir. Ne conservez que les plus belles plantules, qui poussent vite et fleurissent bien. Voir aussi culture, 20.

**AUTRES** : Surveillez le niveau d'eau ; ils boivent bien. Voir soins et préparation, 4, 8, 29 et 32.

1. Les tulipes sont en général des fleurs en coupe à six pétales allongés, aux tiges minces et aux grosses feuilles. Achetez ou cueillez des tulipes bien formées et colorées, encore qu'une pointe de vert soit acceptable : elles se développent bien en vase. Elles doivent être fermes et dressées. Observez bien le cœur des fleurs, qui doit être net de pollen.

2. Sur les tulipes âgées, la pointe des pétales est décolorée ou transparente. Le cœur est chargé en pollen et l'ensemble est mou sous les doigts.

3. La tulipe Darwin de droite est d'un type plus réduit que la Triomphe de gauche. Ce dernier type tient plus longtemps en vase.

4a, b, c, d, e. On voit ici : a) les tulipes Rembrandt, striées ou panachées ; b) les tulipes fleurs-de-lys, aux pétales pointus ; c) les tulipes doubles tardives ; d) les tulipes Perroquet, frisées ; e) les tulipes frangées, aux bords plumeux.

5. Elles s'ouvrent et se referment et se tournent vers la lumière également. Placez toujours ces bouquets en lumière indirecte. Les grandes feuilles peuvent être délicatement enroulées et bloquées entre les tiges pour maintenir celles-ci en place et permettre d'en employer moins.

**NOM** : Tulipe.

**VARIÉTÉS** : Il existe 15 groupes de tulipes, avec des centaines de cultivars, les plus communs étant simples.

**COULEURS** : On trouve toutes les couleurs et leurs associations, excepté le bleu.

**PARFUM** : Quelques rares variétés ont un parfum suave, absent chez beaucoup d'autres.

**FRAÎCHEUR** : Achetez-les ou cueillez-les quand elles sont bien colorées et formées. Une pointe de vert est bienvenue. Elles doivent être fermes et dressées. Veillez à ce que le cœur n'ait pas de pollen.

**DURÉE** : Environ 5 jours, 7 jours pour la Triomphe.

**DISPONIBILITÉ** : Octobre à mai.

**SIGNIFICATION** : Amour sincère ; « Je suis désespérément amoureux ».

**COÛT** : Automne-hiver : moyen ; printemps : modeste.

**EN VASE** : Les tulipes évoluent en vase. Laissez-leur de la place pour se développer, même dans un arrangement sophistiqué. Voir aussi mise en vase, 1, 8, 10, 13, 17, 18, 19 et 20.

**CULTURE** : Les tulipes sont faciles à cultiver au jardin où elles colorent le printemps, et peuvent être forcées à l'intérieur. Elles éclosent peu de temps. Plantez donc des formes hâtives, moyennes et tardives pour allonger la saison. Beaucoup de tulipes s'épuisent en un ou deux ans et diminuent : choisissez plutôt des variétés « à naturaliser ». Voir culture, 10, 11 et 12.

**AUTRES** : Les tulipes boivent bien ! Voir soins et préparation, 8, 23, 33, 34 et 35.

1. Les boules-de-neige donnent des têtes rondes vert clair à blanc-vert sur des arbustes à tiges minces. Achetez ou cueillez des fleurs plus vertes que blanches, aux fleurs serrées, en têtes bien garnies.

2. Avancées, elles sont passées au blanc ; les fleurons sont séparés et peuvent tomber au toucher.

3. Quelques viornes donnent de belles baies en automne et en hiver. Certaines sont d'un étonnant bleu métallique, de longue durée.

4. Les boules-de-neige sont parfaites en grands bouquets avec leurs tiges ramifiées aux fleurs abandonnées. C'est un bon point de départ dans une composition, leurs branches créant un réseau dans le vase et leurs fleurs donnant à l'arrangement un fond où mêler d'autres plantes. On peut aussi les raccourcir et les employer comme les hydrangéas. Voir mise en vase, 14.

**NOMS :** Viorne, Boule-de-neige.

**VARIÉTÉS :** *Viburnum opulus* (fleurs) ; *Viburnum tinus* (baies).

**COULEURS :** Vert pomme à blanc-vert.

**PARFUM :** Discret.

**FRAÎCHEUR :** Les têtes sont serrées et fermes. La couleur d'ensemble est le vert, virant au blanc.

**DURÉE :** 7 jours et plus.

**DISPONIBILITÉ :** Hiver et printemps.

**COÛT :** Hiver : élevé ; printemps : moyen.

**EN VASE :** Les boules-de-neige, élevées, sont utiles en bouquets imposants. Voir photo 4. Voir aussi mise en vase, 8, 12, 13, et 14.

**AUTRES :** Voir soins et préparation, 5, 6, 26 et 32.

zinnia

1. Les zinnias sont des fleurs rayonnantes simples ou doubles, aux couleurs générale- ment fortes, unies. Ils possèdent des cœurs pittoresques, aux couleurs contras- tées. On les trouve aussi en diverses formes – caducs, pompons, etc. Voyez les dahlias, pour vous donner une idée.

2. Achetez des zinnias frais aux trois quarts éclos. Coupés jeunes, ils fanent prématurément. La couleur des pétales doit être marquée et la fleur, dressée, ferme au toucher. Les cœurs complexes, très façonnés, seront nets, sans pollen. Ils se cassent aisément : manipulez-les doucement.

3. Les zinnias âgés brunissent en bordure, et les pétales, récurvés, sont mous. Le cœur devient proéminent, alors que le pollen se répand et que les pétales retombent.

**NOM** : Zinnia.

**VARIÉTÉS** : *Zinnia elegans* et ses variétés, comparables par leurs formes aux dahlias. Voir page 78.

**COULEURS** : Toutes couleurs et nuances, unies ou mêlées, sauf les bleu et noir. Ils peuvent être bicolores, rayés, bigarrés.

**PARFUM** : Aucun.

**FRAÎCHEUR** : La fleur est déjà ouverte. Ils se cassent facilement.

**DURÉE** : Environ 5 jours et plus.

**DISPONIBILITÉ** : Été.

**COÛT** : Modeste.

**SIGNIFICATION** : Pensées pour l'ami lointain.

**EN VASE** : Mieux vaut cueillir ses propres zinnias, qui fanent aisément s'ils sont mal prélevés. Leurs tiges creuses se cassent et plient facilement. Voir mise en vase 18 et 19.

**CULTURE** : Les zinnias aiment la chaleur. Ne les plantez pas tôt, ils ne démarrent pas s'il fait frais. Sensibles à l'oïdium, mieux vaut les arroser au pied, en évitant de mouiller les feuilles et les fleurs. C'est un plaisir de les cultiver pour leurs vives couleurs et leur forme amusante. Excellents au jardin, on peut les mettre en pot.

# Remerciements

Que toutes les personnes qui m'ont apporté leur aide et leur concours dans la réalisation de ce livre trouvent ici l'expression de ma gratitude, en particulier mon talentueux et patient photographe, T. K. Hill, et sa femme Angelique, pour leur travail remarquable sur les images.

Mes remerciements s'adressent également à Jeanne Maher, Sue et Allan Morris et August Spier pour leur soutien sans faille ; à Tayloe et Mike Piggott, Kathy et Lee Gardner, Krista Anderson, Lee Ann Grant, Peg Invie, Pamela Periconi, Windland Smith Rice, Terry et Craig Durr.

Je suis redevable à Lois Sherr Dubin de m'avoir fait rencontrer Margaret L. Kaplan, mon éditrice chez Harry N. Abrams, Inc., dont les conseils avisés et l'enthousiasme m'ont été précieux. Douglas Sardo a toute ma reconnaissance pour son élégante maquette.

Merci à Elizabeth Mosley, Melissa Miller, Chelsea Jonke et Kristin Hansen pour leur amicale collaboration.

Je tiens à remercier aussi ma sœur Lee Heffernan pour ses chaleureux encouragements.

Mes remerciements vont également à Will Fulton de chez Dos Osos Multifloro, Rita Brody de chez G. Page Wholesale, Jayne Hofer de chez Laloma Roses et Bill Ludwig de chez Aard de Boer Flowers, qui ont fourni les fleurs photographiées dans ce livre ; les autres fournitures florales proviennent de Green Valley Growers, Amato Wholesale et Virgin Farms.

Merci enfin à mon ami Vincent qui m'a permis de mener ce projet à son terme.

Les vases, outils et accessoires présentés dans ce livre proviennent de Flower Hardware à Jackson Hole, Wyoming (307) 733-7040.

Édition originale publiée en 2001 aux États-Unis
par Harry N. Abrams, Incorporated, New York,
sous le titre *Flowers A to Z : buying, growing, cutting, arranging.*

Pour l'édition originale :
Maquettiste : Douglas Sardo
Éditeur : Margaret L. Kaplan

Pour l'édition française :
© 2001 Minerva, Genève (Suisse)
Connectez-vous : **www.lamartiniere.fr**

Traduit de l'anglais par Philippe Bonduel

ISBN : 2-8307-0607-2
Dépôt légal : mars 2001

Imprimé à Hong Kong